ALS DE BOM BARST

Als de bom barst
verscheen eerder onder de titel
Broeder in de aarde

Robert Swindells

Als de bom barst

vertaling
Luc Devroye

Tweede, volledig hernieuwde uitgave

Davidsfonds/Infodok

"Hij die zijn broeder in de aarde plaatst, is overal."
de Ipuwer-papyrus

Woord vooraf

In 1945 voerden de Amerikanen, met steun van de Britten, twee aanvallen met atoombommen uit op Japan. De steden die het doelwit waren, werden totaal verwoest. Een paar dagen later gaf Japan zich over aan de geallieerden. De Tweede Wereldoorlog was voorbij. De voorstanders van die bombardementen hebben altijd beweerd dat de oorlog erdoor vlugger beëindigd werd en dat zo duizenden levens werden gered. Misschien, maar dan ziet men toch wel een en ander over het hoofd.

In de eerste plaats hebben die twee atoombommen juist de dood *veroorzaakt* van duizenden mensen, voornamelijk vrouwen en kinderen. Bovendien hadden de motieven van de geallieerden niets te maken met het redden van mensenlevens. Toen nazi-Duitsland eenmaal verslagen was, hadden de Russen net de oorlog verklaard aan Japan. De Amerikanen wilden voorkomen dat Russische legers gebieden binnenvielen die ze later misschien niet meer zouden willen verlaten. Het gebruik van de kernwapens dwong Japan tot de overgave nog vóór er een Russische aanval kon worden uitgevoerd. Het waren dus de Amerikanen die achteraf het land bezetten. Daarnaast wilden legeroversten en wetenschappers nagaan wat voor effecten het gooien van atoombommen op mensen had. Het was met andere woorden niets meer dan een experiment. Sommigen spreken dan ook van een oorlogsmisdaad.

Na de ineenstorting van de Sovjet-Unie hoopten velen dat de dreiging van een atoomoorlog eindelijk was afgewend. Jammer genoeg houdt die opvatting geen steek. Ook al behoort de Sovjet-Unie tot het verleden, haar volledige arsenaal van nucleaire wapens bestaat nog altijd. Het is nu in handen van naties als Rusland, Oekraïne en Georgië. In het westen werd ons altijd voorgehouden dat onze eigen kernwapens dienden om ons te beschermen tegen die sovjetdreiging. Maar de ontbinding van de Sovjet-Unie heeft er niet toe geleid dat de vernietigingskracht van ons eigen atoomarsenaal aanzienlijk werd verminderd. Wellicht heeft het iets te maken met de enorme sommen geld die met de aanmaak en de verkoop van die wapens gemoeid zijn. Zij die daar baat bij hebben – samen met de generaals van wie de carrière afhangt van het in-stand-houden van de vrees voor elkaar –, zullen nooit toelaten dat de aarde bevrijd wordt van die vreselijke tuigen.

Daarom is het onze taak de handen in elkaar te slaan met mensen van over de hele wereld. Dan hoeven we misschien eindelijk niet meer bang te zijn voor elkaar. Dan kunnen we elkaar beginnen te behandelen als broers en zussen. Het heeft geen zin te wachten tot de politici dat voor ons doen. Daar zullen ze nooit aan toekomen omdat ze andere doeleinden en ambities nastreven. We moeten zelf iets ondernemen. Nucleaire wapens mogen dan machtig zijn, niets is zo machtig als alle mensen samen.

Ik vertrouw erop dat iedereen die vrede wil, zich binnenkort zal verenigen om oorlogvoerders en hun vernietigende bommen te bannen, en dat het precies jouw generatie zal zijn die met die prachtige revolutie zal beginnen.

Robert Swindells

0

Oost is oost en west is west, en misschien was het een verschil van mening of alleen maar een fout in de computer. Wat het ook mag zijn geweest, het veroorzaakte een aaneenschakeling van gebeurtenissen die alleen een krankzinnige kon hebben gewild en die niemand, zelfs de krankzinnigen niet, kon stoppen.

Overal raketten.
Onder de grond.
In de lucht.
Onder de golven.
Raketten met thermonucleaire koppen,
genoeg om iedereen op aarde te doden.
Drie keer na elkaar.

En iets of iemand drukte op de knop, zond ze van west naar oost en van oost naar west. Ze kruisten elkaar in het midden als cabines van een kabelbaan.

Sirenes loeiden. Alarmprocedures startten, liepen hier en daar in het honderd door de paniek die uitbrak. Nuttige brochures werden rondgedeeld en wegen versperd. Hoge pieten gingen naar hun bunkers en vrijwilligers hielpen waar ze konden. Iedereen wou alleen maar overleven.

De raketten beschreven de boog van hun traject, raakten over het hoogtepunt heen en vielen alsmaar sneller neer. Beneden stond iedereen klaar. De Frimleys hadden hun schuilplaats in de woonkamer, de Bukovsky's in de kelder. En zo had iedereen zijn eigen voorkeur.

Sommige raketten hadden maar één kernkop, andere hadden er verschillende, van de kleine, bijna louter tactische kernkop tot de grote, van reuzenformaat. Iedere stad zou haar eigen afzonderlijk ingestelde kernkop krijgen. Zonder uitzondering.

Ze sloegen in, gillend en nauwkeurig tot op de millimeter. Ze barstten open in verblindende flitsen, als duizend schitterende zonnen. Onmiddellijk verdampten hele stadscentra. Asfalt, bomen en huizen stonden tot op vijfenveertig kilometer van de explosies in brand. Vuurballen, die in één seconde kilometers lang werden, smolten en verteerden alles binnen hun bereik. Sneller dan het geluid scheurden rukwinden door de voorsteden. Huizen stortten in. Zo gulzig waren de vlammen dat ze alle zuurstof om zich heen opvraten. De mensen die een toevlucht hadden gezocht in diepe schuilkelders stikten. Windstoten van 225 kilometer per uur kwamen aangeraasd om het vacuüm te vullen. Ze veroorzaakten vuurstormen die huilden door de straten. Temperaturen van duizenden graden verkoolden al wie onder de grond zat. De aarde zelf verhief zich en schudde toen de kernkoppen neerregenden. En een verschrikkelijke donder rolde door de lucht.

Een uur lang vielen de kernkoppen, toen hielden ze op. Een grote stilte viel over de aarde. De Bukovsky's en de Frimleys bestonden niet meer. Door het lijkkleed van rook en stof dat de hemel verduisterde, begonnen triljoenen dodelijke radioactieve deeltjes neer te dwarrelen. Geluidloos streken ze neer als onzichtbare sneeuw over de verwoeste aarde.

Hier en daar hadden mensen het bombardement overleefd, hoe onwaarschijnlijk dat ook klinkt. Ze lagen verdwaasd tussen de ruïnes. Drijvend op de wind dwarrelden de radioactieve deeltjes op hen neer. Ze landden onmerkbaar op hun kleren, hun huid en haar, zodat de meeste overlevenden ook zouden sterven, maar dan langzaam.

De meesten, maar niet allemaal. Er waren er die zouden blijven ronddolen in dit landschap van giftige verlatenheid. Een van hen was ik.

1

Het was een warme dag in de zomervakantie. In de winkel was het druk: de mensen kochten roomijs en snoep en cola. Wij woonden in Skipley, achter de winkel. Die was zeven dagen in de week open en je werd er gek van de bel. Ik zou ervandoor zijn gegaan met mijn fiets, maar moeder zei dat ik met Ben moest spelen.

Je weet hoe dat gaat als je je met een knulletje van zeven moet bezighouden. Zo'n kinderen willen altijd soldaatje spelen of zoiets. Ze gaan zo op in dat legergedoe dat ze luidkeels de grootste nonsens uitkramen, die iedereen kan horen. Dat is vervelend.

Ik speelde een beetje met hem achterin, waar vader de kratten opstapelde. Maar na een tijdje begon zijn kinderlijke onzin mij de keel uit te hangen. Toen vader wegreed met de bestelwagen, gaf ik Ben geld voor wat snoep. Hij liep naar binnen, ik sprong op mijn fiets en smeerde 'm.

Het deed er niet toe wáár ik heen ging, zolang ik maar in mijn eentje weg kon. Eerst wou ik naar Branford, maar daar waren te veel mensen. Ik nam de weg omhoog, door de hei. Ik moest flink trappen en zweette dan ook als een paard voor de weg opnieuw vlakker werd. Daarboven was er niets om de zon tegen te houden en die beukte zo op je neer dat je ze als het ware kon horen. De hitte deed de horizon trillen en de weg leek wel vochtig. Ik fietste door tot ik ver genoeg van Skipley was, stapte af en ging op mijn rug in het naaldgras liggen om naar UFO's uit te kijken.

Het was zo rustig dat je de bijen in de hei kon horen, als een houtzagerij ver weg. De lucht rook naar turf en hete teer. Door het zweet in mijn shirt kreeg ik het koud op mijn rug terwijl de zon door mijn jeans heen mijn knieën brandde. Nu en dan reed een auto voorbij. Het klinkt nu wat sentimenteel, met die bijen en die auto's en die hei, maar zo was het toen.

Ik moet ingedommeld zijn, want het volgende wat ik besefte, was dat de zon weg was en dat de halve hemel verscholen zat achter grote, zwarte wolken. Het was nog heet, maar op een andere manier: drukkende, dreigende hitte als voor een onweer.

Ik voelde er niets voor om me door een onweer te laten natregenen. Bovendien zeggen ze dat de bliksem inslaat op het hoogste punt. Meestal treft hij alleenstaande bomen. Maar op de heide stonden geen bomen. Zo gauw ik op zou staan, was ik dat hoogste punt. Ik sprong overeind, greep mijn fiets en begon als een gek te trappen, naar huis.

Ik haalde het bijna. De top van de laatste helling was in zicht toen het in de verte begon te rommelen en de eerste vette regendruppels neerplensden. 'Geld uit de hemel' noemde mijn moeder ze.

Ik had makkelijk verder kunnen rijden. Ik moest alleen die kleine helling nog over en ik zou de hele weg naar beneden hebben uitgereden tot in Skipley. Ik zou dood zijn geweest, zoals iedereen. Ik deed het niet omdat ik de bunker in het oog kreeg.

Het was een van die betonnen bunkers uit de Tweede Wereldoorlog, niet uit de laatste. Hij lag vlak achter de greppel, aan de rand van het achterliggende akkerland, gedeeltelijk verzonken in de grond en half verborgen in een paar vlierstruiken.

Ik had er vroeger al eens een kijkje in genomen, jaren geleden, toen we er picknickten. Ben was nog een baby. Ik was gebukt de muffe donkerte ingegaan, met de vage verwachting er minstens een machinegeweer te vinden of een geraamte. Ik had er alleen een lege fles en de resten van een vuurtje aangetroffen en had me wat geamuseerd met op voorbijrijdende auto's te schieten door de nauwe gleuf.

Nu kon ik er gebukt niet meer in. De bunker was wat dieper weggezonken en ik was heel wat groter geworden: ik moest op handen en voeten kruipen. Ik sleurde mijn fiets over de greppel, zette hem tegen de bunker en kroop naar binnen. De resten van het vuurtje lagen er nog altijd, of misschien was het van een ander. Ik ging niet helemaal naar binnen, net ver genoeg om naar het onweer te kunnen kijken zonder nat te worden. Ik hield van onweersbuien, zolang ik maar ergens veilig beschut zat.

Net toen ik naar binnen kroop, kwam er zo'n plotse windvlaag aan en een donderslag. Het begon echt te gieten. De regen viel zo hard neer dat ik de grond onder mijn voeten voelde trillen. Het water gutste van het dak van de bunker omlaag in een echt gordijn. Met mijn armen om mijn knieën zat ik naar buiten te kijken en ik feliciteerde mezelf dat ik dit droge plekje had gevonden.

Toen zag ik de flits. Die was verschrikkelijk hel. Ik perste mijn ogen dicht en rukte mijn hoofd opzij. Ik dacht dat de bunker getroffen was: ik verwachtte dat het hele ding uiteen zou spatten en dat ik eronder bedolven zou raken.

Toen begon de grond te schudden. Hij beefde zo hevig en zo snel dat het leek alsof ik met gesloten ogen in een sneltrein zat. Brokstukjes en stof begonnen op mijn hoofd te vallen. Ik snakte naar adem. Ik rolde me op mijn zij met mijn armen om mijn hoofd.

Er was een plotse, hete rukwind. Hij sloeg regen door de deur naar binnen en kletste het water op mijn armen en hals. Warme regen. Ik opende mijn ogen. De bunker baadde in een schitterend, wazig licht dat flikkerde en begon te verzwakken terwijl ik keek. Mijn oor zat tegen de grond geperst en diep onder de bodem kon ik gerommel horen, als van draken in een grot. Het verzwakte toen de draken zich blijkbaar terugtrokken, tot ik ze helemaal niet meer kon horen. Het licht vervaagde. Het had een rosse gloed met stof erin. Eindelijk werd het stil.

Soms wou ik dat ik daar was gebleven. Het stof zou me hebben toegedekt en ik zou de draken naar de stilte toe gevolgd zijn. Er zijn ergere dingen dan draken. Ik heb ze gezien.

2

Lange tijd lag ik daar. De zonderlinge storm was overgetrokken, maar het regende nog en nu en dan hoorde ik in de verte de donder. De atmosfeer was nog altijd drukkend en ik vroeg mij af of het onweer zou terugkomen, want dat gebeurt wel vaker.

Het duurde niet lang voor ook de geluiden in de verte ophielden. Ik had geen zin om naar huis te rijden, want het zag er niet naar uit dat het zou ophouden met regenen. Dus ging ik overeind zitten. Mijn hoofd jeukte en mijn kleren zaten onder het stof. Ik deed een flauwe poging om er wat stof af te kloppen en kroop toen naar de uitgang.

Het was toen dat ik de wolk zag, hoog opgericht als een walgelijke paddestoel op zijn kromme steel. En de gloed over Branford. Een ijzige stroom steeg vanuit mijn buik langs mijn rug omhoog en verspreidde zich in mijn schedel. Ik knielde neer en schudde langzaam het hoofd omdat mijn verstand niet begreep wat mijn ogen zagen.

Achter de horizon stond een trillende boog oranje licht, die in en uit ademde als een levend wezen. Zijn gloed weerkaatste op de rondingen van de wolken. Het was half duister en de mantel van rook stak als een nog donkerdere vlek af tegen het grijs.

Een leraar had ooit een boek meegebracht naar school, *Bescherm en overleef* of zoiets. Daarin stond wat er waarschijnlijk zou gebeuren als er waterstofbommen op Groot-Brittannië zouden vallen. We vonden het heel beangstigend, maar het beeld was niet half zo erg als de realiteit. Niet half zo erg. Er stond heel wat in dat boek: de branden en de rukwinden en de stralen en zo. Maar het vertelde niets over hoe weinig je weet over wat er op zo'n moment met je gebeurt. Over hoe hulpeloos het je achterlaat, zodat je naar de grond zit te staren in plaats van voedsel te gaan zoeken of een schuilplaats te bouwen. Er stonden tips in over elkaar helpen. Maar dat doe je niet. Een hele tijd niet. Andere mensen zijn schaduwen die je voorbijgaan of vijanden die het op je bezit hebben gemunt. Dat wisten de schrijvers van dat boek niet. Niemand van ons wist het.

In elk geval besefte ik wat ik zag toen die wolk voor me opdoemde. Ik had genoeg films gezien, genoeg artikels gelezen. Bovendien hadden de kranten en de televisie het in die tijd vaak gehad over gespannen relaties en wederzijdse bedreigingen en over groot alarm en zo. Ik had er niet veel aandacht aan geschonken. Voor zover ik mij kon herinneren, leek het maar af en toe ècht belangrijk. Ik bedoel, je raakt gewend aan zo'n berichten en dan denk je er niet meer aan. Ik herinner mij niemand uit onze omgeving die zich er ongerust over maakte. Het ene ogenblik was alles normaal, het andere was alles weg.

Ik wist niet wat er in Skipley was gebeurd. Skipley ligt vijf mijl van Branford vandaan en ik kon zien dat er geen bom op was gevallen. Vermoedelijk dacht ik dat iedereen in Skipley wel ongedeerd zou zijn, net als ik. Tot de radioactieve neerslag kwam. Toen begreep ik dat er doden zouden zijn. Ik had erover gelezen. Daarom besloot ik in de bunker te blijven. Als ik wat nauwkeuriger had gekeken, zou ik misschien de rook hebben kunnen zien, maar ik deed het niet. Ik was waarschijnlijk half versuft door de schok. Ik kroop helemaal naar de achterkant van de bunker en nestelde mij in een hoek tussen de blikken, de flessen en de stukken papier. Daar lag ik en ik deed net of alles in orde was, tot het gillen begon.

3

Het was donker toen ik het hoorde. Ik had geslapen, God weet hoe. Misschien wilde mijn verstand de realiteit negeren. Hoe dan ook, ik ontwaakte plotseling en toen klonk dat afschuwelijke geluid, een soort gekerm en een geschuifel buiten de bunker. Ik lag verstijfd en beet van de spanning op mijn lip: iets ging buiten heen en weer, iets groots. Het schuurde tegen de takken van de vlierstruiken en viel toen zwaar op de grond. Ik voelde de slag en groef mijn nagels in mijn handpalmen. Ik wou dat het ding verdween, dat het de ingang niet vond. Een diep gekreun ging over in een borrelend geluid dat maar bleef aanhouden.

Ik kon me nauwelijks verroeren. Iets afschuwelijks lag daar buiten in het donker, zijn gezicht – als het er een had – op enkele tientallen centimeters van het mijne. Het gefluit van zijn adem drong door het beton en ik dacht zelfs dat ik zijn geur kon ruiken.

Zwetend van angst en geruisloos ademend door mijn mond bleef ik liggen. Mijn ogen waren open. Spooklichtjes dreven om me heen. En terwijl ik lag te luisteren, hoorde ik andere geluiden. Ze klonken zwakker en verder weg. Daar buiten in het donker waren mensen aan het gillen.

Ik had ooit een film over Pompeï gezien: mensen die strompelden door mistige straten terwijl de as neerkwam. Zo klonk het.

Ik merkte dat het ding buiten stil was geworden. Ik luisterde gespannen maar hoorde niets meer, alleen de stemmen, net als in Pompeï, ver weg. Misschien hield het zijn adem in, dacht ik, mijn oren gespitst. Ik hield me een poosje muisstil, maar het ademen hervatte niet en ik maakte mezelf wijs dat het ding weg was gegaan. Op de tast kroop ik naar de uitgang en tuurde naar buiten.

De gloed boven Branford was geslonken tot een dunne blos, maar nu, tegen de achtergrond van de nacht, zag ik dat Skipley aan het branden was. Het regende niet langer en een koele bries van over de heide scheen mijn verstand op te helderen. Ik begon weer gewone emoties te voelen.

Moeder en vader en Ben. Hier zat ik, verscholen in mijn bunker, terwijl er hun God weet wat was overkomen. Ze konden dood zijn. Misschien waren sommige van de kreten die ik had gehoord wel van hen geweest.

Bijna verlamd van ontzetting en wroeging kroop ik uit de bunker en stond op. Mijn fiets was omgevallen. Ik pakte hem op en duwde hem naar de greppel. Ik moest naar huis. We konden weggaan, met de wagen naar het noorden rijden, naar de meren en de bergen, voor de radioactieve neerslag ons te pakken kreeg.

De radioactieve neerslag. De fall-out. Toen ik bij de greppel kwam, begon het te motregenen. Een uitdrukking die ik ergens had gelezen flitste door mijn hoofd: zwarte regen. Nadat ze de bom op Hirosjima hadden gegooid, regende het en de regen bracht alle radioactieve stof uit de atmosfeer mee naar beneden. Duizenden mensen uit de buitenwijken van de stad, die de eigenlijke ontploffing hadden overleefd, werden beregend met dat goedje en stierven aan de stralingsziekte. Achteraf noemden de wetenschappers het 'zwarte regen' omdat er uiteindelijk bijna even veel mensen door werden gedood als door de bom zelf.

Ik raakte in paniek. Niet door de koude druppels op mijn gezicht, maar door de naam. Zwarte regen. Het was alsof iets smerigs van uit de lucht op mij viel en ik kon het zelfs niet zien. Ik liet meteen mijn fiets vallen en liep terug terwijl ik mijn hoofd probeerde te beschermen met mijn armen, alsof dat wat kon helpen. In de bunker gebruikte ik de voorkant van mijn T-shirt om het spul uit mijn gezicht, hals en haren te wrijven. Mijn armen waren ook bespat, dus trok ik het kledingstuk uit en wreef ze ermee af. Toen frommelde ik het op en schoof het door de schietsleuf. Ik was gek.

Daarna kroop ik in een hoek met mijn blote rug tegen het beton. Het was enorm koud. Ik kruiste mijn armen over mijn borst en hield mijn schouders vast. Zo zat ik daar, te wachten tot ik ziek werd. Ik fantaseerde dat ik zo zou sterven en dat ooit op een dag, misschien eeuwen later, iemand mijn skelet, dat zichzelf nog omknelde in de hoop het warm te krijgen, zou vinden.

Buiten hielden de geluiden aan. Stemmen en een klap af en toe, alsof iets ontplofte beneden in de stad. Soms klonk een stem dichtbij, maar meestal waren ze ver weg. Ik weet dat het onzinnig klinkt, maar ik probeerde niet te luisteren. De regen viel op hen en ik kon niets doen.

Ten slotte doezelde ik een beetje in. Toen ik met een schok wakker werd, sijpelde daglicht door de sleuf. Regen ruiste op het beton en een rij heldere druppels hing aan de bovenrand. Nu en dan viel er in willekeurige volgorde een af. Ik zat er half verlamd door de kou naar te kijken en trachtte de dodelijke stofjes erin te ontwaren. Op de regen na was het nu stil.

Ik had dorst. Honger ook, maar het was de dorst die ik het ergste vond. Het ironische van de situatie trof me. Buiten was de grond doorweekt. Plassen vormden zich in elke uitholling en de greppel was aan het vollopen. De wolken, de aarde en de lucht ertussen zaten vol water en toch mocht ik geen druppel ervan aanraken.

Ik herinnerde me het gedicht over de oude zeeman die stierf van de dorst met overal om hem heen de oceaan. Water, water overal en geen druppel om te drinken, zo stond het er ongeveer. Het bleef in mijn hoofd rondtollen terwijl ik de heldere druppels door de sleuf zag vallen.

De regen deed me het eerst de enorme omvang begrijpen van wat er gebeurd was. Atoomraketten waren op Groot-Brittannië gevallen. Dan moesten ze ook op een heleboel andere landen zijn gevallen. Deze zwarte regen viel nu op al die plaatsen, in rivieren en reservoirs, in bassins en drinkbakken. Hij stroomde neer op schapen, koeien en gewassen, sijpelde door de bodem om bronnen en onderaardse meren te besmetten. Water, water overal en geen druppel om te drinken.

Bij het ontwaken had ik me niet ziek gevoeld en had ik, denk ik, onbewust verwacht uiteindelijk te overleven. Nu, met een verdorde keel en mijn tong als een warme slak in mijn mond, duwde ik die gedachten opzij. Alles heeft water nodig. Een mens kan maar een paar dagen zonder. Maar al het water was besmet. De weinige overlevenden die er waren, zouden hun eigen doodvonnis tekenen zodra ze zouden drinken.

Ik vroeg me af hoe het zou voelen om dood te gaan van de dorst. Het deed nu al pijn en het was nauwelijks begonnen. Toch beloofde ik mezelf dat ik nooit zwarte regen zou drinken. Dat zou hetzelfde zijn als vergif slikken. Wat ik gelezen had over de stralingsziekte klonk verschrikkelijk. Sterven van de dorst kon onmogelijk even erg zijn. Een tijdje masseerde ik een beetje warmte in mijn ledematen. Daarna ging ik weer op mijn zij liggen en wachtte op het einde.

4

Ik bleef liggen, de hele dag en ook de hele nacht. Ik kreeg nog meer honger, nog meer dorst en had het nog kouder, maar kwam voor zover ik wist niet dichter bij mijn dood. Nu en dan sliep ik wat. Ten slotte begon ik opnieuw aan mijn familieleden te denken, of ze nog leefden en of ze naar mij aan het zoeken waren. Ik wou dat ik mijn T-shirt niet had weggegooid en herinnerde me dat er een reep chocolade in mijn fietstas zat. Het regende niet meer en bij het eerste licht van de morgen ging ik overeind zitten.

Een tijdlang wreef ik over mijn armen en borst. Mijn benen voelden als vlees uit de diepvries en een harig beest had in mijn mond geslapen. Ik voelde me beroerd en vroeg me af of dat het begin was van de ziekte. Na een poosje voelde ik me beter en kroop zo stijf als een plank naar de uitgang.

Aanvankelijk zag ik niet veel. Alles leek normaal. Ik begon al te denken dat ik het misschien allemaal maar had gedroomd. Maar dat was niet zo.

Ik kroop helemaal naar buiten en ging staan. Een lichte mist hing in de stille lucht en een gloed verlichtte de hemel in het oosten. Ik begon rond de bunker te wandelen. Water van het kletsnatte gras drong koud door mijn trainingsbroek. Ik draaide een hoek om en schreeuwde het uit.

Hij lag op zijn rug met zijn mond open. De ene helft van zijn gezicht was een brok rauw vlees. Een tros grote, bolle blaren hing rond zijn oog en vernauwde het tot een spleet. Zijn ellebogen rustten op de grond en zijn voorarmen stonden verticaal. De handen hingen als verlepte bloemen boven zijn borst.

Ik had bijna op de rauwe, haarloze schedel getrapt. Ontzet deinsde ik achteruit en stond stokstijf: ik kon mijn ogen er niet van afhouden.

Mijn eerste lijk, het eerste van vele. Een paar weken later zou ik het nog nauwelijks een blik hebben gegund, tenzij om op te merken dat het sterke schoenen droeg, die ik eraf haalde. Nu echter gaapte ik ernaar. Zonder het te willen nam ik elk detail in me op van wat ooit een mens was geweest. Iemand wiens mond onmenselijke geluiden had uitgebraakt toen hij zijn laatste adem uithijgde in de regen. Het verschroeide, doorbakken jack, het verzengde vlees, het enige, blinde oog.

Ik had het gevoel dat ik moest braken, maar ik kon niet. De eerste glimp had naar mijn mond een golf zure vloeistof gestuwd die voorafgaat aan het braken, maar in plaats van die uit te spuwen, had ik hem doorgeslikt en zo de pijn gestild in mijn keel. Toen wist ik het nog niet, maar dat was wat lijken voortaan voor mij zouden betekenen: de kans iets zomaar te krijgen. Een jas misschien of een paar schoenen. Iets om de pijn te verzachten.

Ik weet niet hoe lang ik daar stond of wat me verder deed gaan. Het kan de chocolade zijn geweest. Ik herinner mij dat ik die vond en, neerhurkend bij de greppel, in mijn mond stak. Of het zou de kou geweest kunnen zijn. Ik ontdekte mijn T-shirt onder de schietgleuf en trok het, zo nat als het was, aan. In elk geval had ik, tegen de tijd dat ik mijn chocolade had opgegeten, besloten wat ik zou doen.

Om te beginnen zou ik me niet meer bekommeren om de zwarte regen. Alles was ervan doordrenkt, de binnenkant van mijn schoenen inbegrepen. Er was niets tegen te doen. Zelfs als ik onmiddellijk terug in de bunker zou kruipen, had ik bestraalde voeten. Als ik stierf van de stralingsziekte, dan was het maar zo. Ondertussen zou ik naar de stad fietsen en zien of ik mijn familie kon vinden.

De chocolade had me een beetje opgewarmd en de zon was aan het opkomen. Ik denk dat het ongeveer vijf uur in de morgen was. Ik trok mijn fiets uit de greppel, droogde het zadel af met mijn shirt en begon traag de helling op te fietsen, ziek van angst om wat ik zou zien vanaf de top. Voor ik dat te weten kwam, bleek er voor mij echter nog meer weggelegd.

5

Halverwege de helling was er een pad dat leidde naar Kershaw Farm. Niemand gebruikte het ooit: de oude Kershaw was een kluizenaar met een grote hond.

Ik was net ter hoogte van het begin van dat pad toen ik een motor hoorde. Een Land Rover verscheen over de kam en kwam dat pad afgejakkerd. Je kon de boerderij niet zien vanaf het pad omdat ze achter die kam lag.

In een roes van vreugde omdat ik ten minste één andere overlevende buiten mezelf had gevonden, remde ik en wachtte. Het voertuig hobbelde de wagensporen af en stopte gierend waar het pad op de weg uitkwam.

Waarschijnlijk had ik de oude Kershaw verwacht. Maar wat zich afspeelde, was als in een film. Een portier ging open en een man sprong eruit. Hij droeg een zwart pak uit één stuk met een masker voor het gezicht en had een geweer bij zich. Een andere man hield me in het oog door de voorruit. Die met het geweer snelde op me af.

"Waar kom jij vandaan?" De man sprak door een microfoon en het klonk bars. Ik knikte naar de weg omhoog.

"Skipley. Daar ga ik nu heen." Het geweer maakte me zenuwachtig.

"Wat was je hier buiten aan het doen?"

Ik haalde de schouders op. "Me verstoppen. Ik zat in de bunker toen..."

"Je mag hier niet komen. Deze weg is een ESR. Burgers moeten blijven waar ze zijn."

Ik zocht achter het masker naar zijn ogen, maar het licht weerkaatste op de oogstukken. Ik zei: "Bent u een opzichter of zo? Kunt u mij vertellen wat er aan de hand is?"

Een blikken gekwaak schalde uit de microfoon, de karikatuur van een lach. Hij verschoof het geweer aan zijn draagriem. "Ik ben hier niet om vragen te beantwoorden. Laat de fiets hier en ga terug naar de stad of ik knal je neer voor plundering."

"Plundering?" Ik liet hem mijn lege handen zien. "Wat bedoelt u, de fiets hier laten? Die is van mij!"

Hij bewoog zo snel dat ik geen tijd kreeg om na te denken. Hij hief z'n been op, plantte de zool van zijn laars op mijn dij en duwde. Ik spartelde over het asfalt met de fiets bovenop mijn benen. Hij bukte, greep de fiets en wierp die achter zich weg.

"Vooruit, opstaan en wegwezen!" Hij stond over mij met zijn benen uit elkaar en het geweer op zijn heup. Hij leek Clint Eastwood wel. Je kon gerust zeggen dat hij zichzelf een kei vond.

Ik had moeten doen wat hij zei, maar ik deed het niet. Ik krabbelde overeind en wierp mij op hem. Ik ben niet dapper maar ik deed het om die smerigheid over dat plunderen en om de manier waarop hij zich stond aan te stellen.

Hij was erop voorbereid. Toen ik sprong, deed hij een stap opzij en stompte hard in mijn kruis. Ik sloeg voorover, half buiten bewustzijn en snakkend naar adem. Hij boog, grabbelde mijn T-shirt vast en rukte me overeind.

"Ziezo!" siste hij. "Heb ik het nu wat duidelijker gezegd, kereltje?" Hij greep me bij de arm en sleurde me mee de helling op. We kwamen bij de top en hij duwde me van zich af. Ik waggelde de helling af, verblind door tranen. "Vooruit!" snauwde hij. "Donder op en wees blij dat ik je niet neerknal."

Een paar meter lager stopte ik om de tranen uit mijn ogen te vegen. Toen zag ik dat de heuvelkant bezaaid was met lichamen. En de stad beneden was verwoest.

6

Ze lagen overal. In de greppel, op de berm en op de weg zelf. Sommigen zagen er vrijwel ongedeerd uit. Je kon jezelf bijna wijsmaken dat ze sliepen. Anderen waren afzichtelijk, zoals die ene bij de bunker.

In het begin gaapte ik ernaar terwijl ik voorbijliep, biddend dat geen van hen mijn moeder of vader of Ben zou blijken te zijn. Na een tijdje kon ik het niet meer verdragen en keek ik niet meer, of toch maar net genoeg om er niet over te vallen. Ik liep als een paard met oogkleppen, strak voor mij uitkijkend.

Aan de rand van de stad waren de huizen allemaal uitgebrand. Ze lagen in as, met ramen zonder glas en ingezakte daken. Binnenin kon je het behang zien, de open haarden en de stukken trap die nergens naar leidden. Rook kringelde hier en daar dunnetjes tussen de zwarte gebinten.

Een oude man zat in zijn leunstoel op het trottoir. Hoe hij daar kwam, weet ik niet, maar hij zat er, starend naar de natte straatstenen. Hij was de eerste levende persoon die ik tegenkwam op de lange weg naar beneden. Ik liep naar hem toe en vroeg: "Is alles in orde met u?" Het was verdomd belachelijk zoiets te vragen, maar ik wou zijn stem horen.

Hij gaf geen antwoord. Hij keek zelfs niet op. Hij staarde gewoon voor zich uit naar het plaveisel, zijn vingers om de uiteinden van de armsteunen geklemd. Ik herhaalde mijn vraag wat luider, maar er kwam geen reactie, zelfs niet toen ik zijn schouder aanraakte. Ik dacht dat hij in shocktoestand was en vond dat ik moest helpen – hem in veiligheid brengen bijvoorbeeld. Ik keek om me heen, maar alle huizen waren afgebrand en er was niemand anders te zien. Daarom liet ik hem maar.

Hoe verder ik de stad introk, hoe erger de vernieling. Sommige gebouwen waren ingestort: hopen puin lagen verspreid over de straat en ik moest mijn weg ertussen zoeken. Er lagen nog lichamen en overal zag ik gebroken glas, soms door de hitte gesmolten in de grilligste vormen. Auto's waren uitgebrand en de lucht stonk naar verkoold hout.

Onze winkel lag in het westelijke deel van de stad, het verst weg van Branford. De ergste verwoesting was aan de oostkant van de stad. Hoe meer ik in westelijke richting liep, hoe meer ik hoop kreeg dat ik moeder, vader en Ben ongedeerd zou aantreffen en dat ons huis nog overeind stond.

Ik zag mensen. Sommigen liepen rond, anderen zaten op de stoep strak voor zich uit te kijken naar de grond vlak voor hen. Niemand keek naar me om of probeerde iets te zeggen. Ik voelde me onzichtbaar als een spook.

Voorzichtig baande ik mij een weg tussen het puin en de scherven glas en zo kwam ik in mijn eigen straat. Sommige huizen stonden nog overeind, andere lagen plat. Van waar ik stond, kon ik zien dat de winkel in puin lag.

Ik rende door in het midden van de straat. Mijn benen waren slap van angst, zodat ik bijna viel.

De bestelwagen lag op zijn zij op de rijweg, uitgebrand. De hele winkel was ingestort. Ik scharrelde tussen het puin en met een gebroken stem riep ik mijn ouders. Ik zag ze daar al verpletterd of verbrand liggen onder de bakstenen en de pleisterkalk. Ik begon te graven met mijn blote handen, trok stenen weg en smeet ze opzij. Toen zei een stem: "Danny?" en ik tolde om, nog gebukt met in elke hand een steen. Vader stond bij de keldertrap naar mij te kijken.

Die hoek in de muur stond nog overeind: de keukenhoek, waar de keldertrap begon.

De stenen vielen uit mijn handen en ik klauterde tussen de losse brokstukken door naar hem toe. Hij drukte me tegen zich aan zoals hij al jaren niet meer had gedaan en ik stond daar maar wat tegen hem aan te huilen.

Ik veegde mijn wangen af met de rug van mijn handen en vroeg: "Waar zijn moeder en Ben?"

Hij keek naar beneden en schudde het hoofd. "Je moeder is er niet meer, jongen," zei hij. "Ze was boven, begrijp je. Ben is in de kelder. Hij was daar met mij beneden, toen... Hij slaapt. We dachten dat je er geweest was, Danny. Waar heb je gezeten?"

"De bunker," vertelde ik hem. "Boven bij Kershaw Farm. Ik ging er schuilen voor de regen en toen zag ik de flits. Toen ik er weer uit kwam, waren er die mannen in hun rubberen pakken. Ze rammelden me af."

"Ze rammelden je af?" vroeg hij. "Waarom?"

"Ik weet het niet. Ze wilden me niets zeggen over wat er was gebeurd en ik moest mijn fiets achterlaten. Ik wil moeder zien. Heb je...?"

"Ja," zei hij vlug. "Ik groef haar uit, in de hoop dat ze zou... Maar er was geen helpen meer aan. Ze ligt daar." Hij knikte naar waar de verwrongen toonbank doorgeknakt tussen stenen en verbogen leidingen lag. "Je kunt haar beter niet zien, jongen. Denk aan haar zoals ze was. Ze is toch ingepakt."

Ik staarde hem aan. Een grijs, stoppelig gezicht met rozige ogen. "Ingepakt?"

"Ja." Hij veegde zijn handen af aan zijn jas en keek naar de uitgebrande huizen aan de overkant. "Er staat in het boekje dat je de doden moet inpakken en een kaartje aan het pak moet hangen, voor als ze hen komen ophalen. Ik kon niets vinden om mee te schrijven, dus is er geen kaartje."

Ik staarde naar de toonbank. "Wie komt er?" fluisterde ik. "Die van Kershaw Farm?"

Hij schudde het hoofd. "Ik weet het niet, jongen," zei hij dof. "Het is al een dag geleden nu en ik heb nog niemand gezien. Je kan alleen doen wat er staat en wachten."

Ik knikte, met de lijken op de heuvelhelling voor ogen. Wie zou hen inpakken en er kaartjes aan hangen?

"Kom mee naar beneden." Hij ging naar de trap toe. "Je moet honger hebben. Ik zal wat te eten voor je maken."

De kelder werd verlicht door twee zaklampen: de ene hing aan het lichtsnoer en de andere zat geklemd tussen twee zakken suiker op een rek. Vader had een strook linoleum uitgespreid en daar lag Ben op, onder een stapel dekens. Hij zag er zo vredig uit. Ik wou dat ik zeven jaar was.

7

Pa warmde een blik worst met bonen voor me op. Hij had een fornuis gemaakt: hij had het bovenste stuk van een oliebus weggesneden, die gevuld met zand en er paraffine op gegoten. Als hij er een lucifer tegenhield, brandde het oppervlak van het zand met een blauwe vlam. Het stonk, maar het warmde het voedsel wel op.

Ik schrokte mijn eten naar binnen, een lepel in de ene hand en een homp al wat oudbakken brood in de andere. Het kwam toen helemaal niet bij me op me af te vragen of het voedsel wel veilig was. Waarschijnlijk had ik te veel honger.

Maar een picknick was het niet. De paraffinewalm prikte in mijn ogen en maakte me misselijk. Ik moest de hele tijd aan moeder denken. In mijn achterhoofd zinderde de vraag: "Hoe zullen we leven?" en meteen dacht ik: "Dat zullen we niet. We zullen sterven, allemaal, het is alleen een kwestie van tijd."

Ik had al drie nachten niet meer behoorlijk geslapen en terwijl ik aan het eten was, overviel me een enorme vermoeidheid. "Ik denk dat ik er maar beter in kruip nu, vader, als je het goedvindt." Hij was aan het rommelen in een lade en knikte zonder zich om te draaien.

"In orde, jongen. Ik zal je rond middernacht wekken, dan kan je op jouw beurt op wacht."

"Wat?" Ik dacht dat ik hem niet goed had gehoord.

"Wacht." Hij duwde de lade dicht en kwam overeind met een stompje potlood in zijn hand. "Er zit hier heel wat voorraad beneden, Danny, en daarbuiten zijn veel hongerige mensen. Wij hebben geluk, maar we moeten waken over ons geluk."

Er waren twee kelders: een voor etenswaren en een voor droge waren. Beide zaten tjokvol, genoeg voor drie mensen om het jaren uit te houden. Ik knikte.

"O, ja. Middernacht dan."

Ik trok mijn trainingsbroek uit en ging naast Ben liggen. Het was hard, maar er waren veel dekens. Pa haalde de steel van een pikhouweel uit de andere kelder te voorschijn en zwaaide ermee, even met een grijns. "Hadden die in het leger," bromde hij, "voor op wacht. Als dit voor het leger goed genoeg was, zal het voor ons ook goed genoeg moeten zijn. Slaapwel, jongen."

Hij rekte zich uit, knipte de lantaarn uit die aan het snoer hing te bengelen en kloste de trappen op.

De lichtbundel van de overgebleven lantaarn sloeg tegen het gewitte plafond en de weerkaatsing vulde de kelder met een zacht schijnsel. Ben had niet bewogen. Hij lag met zijn mond open zacht te ademen. Ik benijdde hem. Hoewel ik totaal uitgeput was, kon ik niet inslapen. Ik lag te staren naar de schilfers en de spinnenwebben op het plafond terwijl gedachten en vermoedens een voor een door mijn hersens joegen, zoals cowboys hun revolver leegschieten in oude westerns.

Hoe zouden we leven? Wie waren die kerels boven bij Kershaw Farm? Zat die oude sukkel nog te suffen in zijn leunstoel onder de sterren?

Het leken wel uren voor ik eindelijk in slaap viel en amper zo'n vijf seconden later dat vader me wakker schudde. De lantaarn brandde nog tussen de zakken suiker. Ik vond mijn schoenen en trok ze aan. De veters dansten voor mijn verhitte ogen en ik knoeide bij het knopen. Ik stond op en pa reikte me de steel van het pikhouweel aan.

"Rustig geweest," zei hij, "verdomd te rustig. Hou je ogen goed open en roep ons als je wat ziet." Hij knoopte zijn stofjas los en hing die aan een spijker. Ik knikte en klom naar buiten, de nacht in.

8

Hij had puin gebruikt om een soort laag muurtje tegenover de hoek te maken. Ik liep erachter heen en weer met de houweelsteel in mijn hand of stond stil te turen in de duisternis. Hij had gelijk: het was rustig. Ik weet niet of ik voordien ooit echte stilte had gekend. Er is altijd lawaai als je in een stad woont, zelfs midden in de nacht. Je merkt het niet, maar het is er. Echte stilte voelt alsof iets op je drukt, en zo is het ook met de donkerte. Het is nooit donker in een stad.

Ik was nog nooit zo moe geweest. Mijn ogen deden pijn en mijn lichaam voelde aan alsof het niet van mij was. Om wakker te blijven haalde ik voortdurend erg diep adem en klopte met de steel tegen de zijkant van mijn been. Ik probeerde met mezelf te praten, maar zelfs gefluister klonk luid in de stilte en ik hield ermee op. Misschien zou het, als je dood was, ook zo stil zijn.

Ik dacht aan moeder. Het was vreemd. Op om het even welk ander moment zou ik een week lang hebben gehuild. Ik had mezelf zo vaak voorgesteld na haar dood: gebroken zou ik haar foto omknellen, alle eten weigeren, smachten naar niets anders in deze wereld dan het genadeschot om eruit te worden bevrijd en naar haar toe te gaan. Misschien kwam het door de uitputting of de schok, maar zo voelde ik me nu helemaal niet. Ik was in staat om aan haar te denken op een afstandelijke manier, alsof ze al lang geleden was gestorven. Ik dacht zelfs: daar ligt ze, in een pak onder de toonbank als een bestelling van een klant, te wachten tot ze wordt opgehaald.

Het was een lange nacht, maar er gebeurde niets. Uiteindelijk merkte ik dat de hemel in het oosten wat bleker was geworden en kon ik de omtrekken van de verbrokkelde gebouwen ertegen zien afsteken. Onmerkbaar ging dat blekere over in parelgrijs en later in een zeer ijl roze. Het was koud en de stenen op de grond waren

vochtig. Weldra was het
was. Ik legde mijn wapen
ademen en ze tegen elkaar te
Ik krulde en boog mijn tenen t,
werden. Dadelijk daarop hoorc
kwam naar boven. Hij liep zachtjc
drie dagen op zijn gezicht. Zijn huii
 "Alles goed?" Hij dempte zijn stem.
 "Rustig, zoals je zei. Gek hoe schadt,
begint te turen." Hij lachte.
 "Zeg dat wel. Ik heb mezelf soms domweg
Hij wreef zich in de handen. "Ik zal blij zijn ai,
in brengt. Er zal vandaag wel iemand komei
verwonderen."
 "Ja." Mijn kruis deed nog altijd onuitstaanbaar pi,
de man in zijn zwarte pak. "Ik hoop maar dat ze iets
als ze komen."
 Ben sliep nog. Vader ging weer naar beneden en kwa,
een grote kartonnen doos. "Hier." Hij zette de doos nt
geïmproviseerde muur en reikte me een blikopener aan.
slag: maak dat boeltje open terwijl ik iets te drinken zoek."
 De doos zat vol conserven, witte bonen in tomatensaus, spag,
enzovoort. Wel een stuk of twintig blikjes. Ik deed er een paar op,
en wachtte tot hij weer naar boven kwam met wat limonade en gesteriliseerde melk. "Wil je ze allemaal open?" vroeg ik. Hij knikte en ik
vroeg: "Waarom? We hebben hier genoeg voor zo'n veertig man."
Hij knikte weer. "Dat klopt. En het zal niet lang duren voor er zo'n
veertig opdagen. We zijn niet de enigen, weet je. Hier." Hij gaf me
een fles prik aan. Sinaasappel. Ik schroefde de dop eraf, nam een
lange teug en huiverde. "Bah! Een lekkere kop koffie zou er meer
op lijken. Wie geef je te eten?"
 Hij was even stil, in gedachten verzonken. "Mevrouw Troy en haar
bende, en dat koppel van naast het tankstation, de Hansons. Les
Holmes en zijn zoontje. Zijn vrouw heeft het ook niet overleefd, net

Dan is er mevrouw North van nummer 63, de weduwe. [...]aar anderen die ik me niet kan herinneren. Heel wat [...]en nog spullen van zichzelf, maar die zullen over een [...] beginnen op te raken."

[...]nog een slok van de limonade. "Gaan we iedereen die [...]loppen eten geven?"

[...]ee," zei hij, "niet iedereen. Vrienden en buren, jongen. [...] Het zal trouwens toch nog maar een dag of twee duren."

[...]hopen we," zei ik. "Maar wat als het niet zo is? Wat als er [...]d opdaagt?"

[...]haalde de schouders op. "Dat zullen ze wel, Danny. Ze moeten [...]Maar als ze het niet doen, tja, dan zullen we erover na moeten [...]ken wat ons te doen staat, niet?"

[...]Zodra het echt dag was, begonnen er mensen te komen. We gaven [...]n voedsel en drinken. Mevrouw Troy had vier kinderen en geen [...]chtgenoot. Een van de jochies, Craig, was de beste vriend van Ben. Ben was wakker toen ze kwamen en hij wou er met Craig vandoor, maar vader zei nee. "Het is niet veilig," zei hij. "Gebouwen op het punt om in te storten en rare mensen die rondlopen. Je mag over een dag of twee met Craig spelen, als de soldaten er zijn."

9

Het klinkt gek achteraf, maar we leefden in hoop die eerste dagen. We bleven verwachten dat er iemand zou komen. In het boekje van vader stond dat de doden zouden worden opgehaald en dat voedsel-centra zouden worden opgericht. Luister naar de radio, stond er. Er zouden berichten en instructies volgen.

We wisten dat er boven, bij Kershaw Farm, gewapende mannen waren met een uitrusting tegen de radioactieve neerslag. Mannen die het voor het zeggen hadden. We namen aan dat het soldaten waren en dat ze naar hier zouden komen om orde op zaken te stellen, zoals soldaten dat doen bij aardbevingen en andere natuurrampen. Ondertussen moesten we ons zien te redden.

Heel wat mensen werden gek. Niet razend gek, maar ze doolden doelloos en mompelend rond tussen de ruïnes. Of ze zaten roerloos naar de grond te staren.

Je zou veronderstellen dat de mensen de handen in elkaar sloegen om de voedselvoorziening te organiseren en om kampen en eerstehulpposten op te richten, maar niets daarvan. Ze waren te versuft. Als het begon te regenen bijvoorbeeld, bleven sommigen buiten staan of zitten en werden ze nat, terwijl er overal om hen heen plaatsen genoeg waren waar ze konden schuilen.

Volgens mij waren het zij die te veel piekerden die gek werden. Als je maar bleef denken aan hoe het vroeger was en hoe je dat allemaal voor vanzelfsprekend aannam, dan veronderstel ik dat het je krankzinnig kon maken. Volgens mij besefte vader dat. Hij was altijd iets aan het doen, zichzelf bezig aan het houden, zodat hij geen tijd had om te dubben over moeder en over de winkel.

Ik vroeg me af hoe Ben de ramp zou verwerken. Hoe gaat dat met kleine knullen: de ene of andere grote verandering komt in hun leven, een nieuwe school of een verhuizing bijvoorbeeld, en ze zijn er hooguit een paar dagen van ondersteboven. Nadien raken ze aan het nieuwe leventje gewend en gaan ze gewoon door, alsof er niets is gebeurd. Ze passen zich geweldig vlug aan nieuwe situaties aan.

Ben was ook zo. De ene dag was hij zo'n doordeweekse kleine knaap die naar school ging met zijn leesboek en zijn etui, thuis kwam om tv te kijken en wat snoepjes te eten en te slapen in een lekker bed. De volgende dag was hij een kleine overlevende zonder moeder, die woonde te midden van ruïnes en die op de grond sliep. En Ben slikte het. Zijn moeder was nog geen drie dagen begraven of hij was al aan het rondhollen door het puin, soldaatje aan het spelen. Het was ongelooflijk. Hem bezig te zien hield me bij mijn verstand.

Er kwam niemand en op de radio was er alleen wat gekraak, dus groeven vader en ik een put in een tuin tegenover de winkel en legden moeder erin. Het regende. Vader zei iets wat hij zich nog uit de bijbel herinnerde. Ondertussen liep het regenwater over zijn gezicht, zodat je alleen aan zijn stem kon horen dat hij huilde. Aan mij kon je het helemaal niet horen. Het was avond en Ben sliep. We zouden hem later wel hebben gewezen waar ze lag, maar hij vroeg er nooit om.

Water was een groot probleem. De schokken in Branford hadden de hoofdleidingen vernield en je zag stukken gebroken buizen uit het puin opsteken. Veel mensen dronken uit plassen of vingen de regen op in plastic zeilen. Wij niet. Dat water kon niet anders dan besmet zijn en in tegenstelling met de anderen konden wij nog kiezen. Er lag bier en limonade in de kelder en ook gesteriliseerde melk. Dat dronken wij. Toen ontdekte iemand een oude waterput in de tuin van De Jagershond en het werd een van mijn karweitjes om tweemaal per dag water te gaan halen in een blikken emmer. Zo ontmoette ik Kim.

10

Het was zo'n week of drie na de bom. Een groot deel van het voedsel en van de voorraad die nog in de huizen had gelegen, was op. De honger schudde de mensen uit hun verdoving wakker en ze begonnen te vragen wanneer er wat terecht zou komen van de hulp die hun was beloofd. Gevechten braken uit als zij die eten hadden weten te vinden overvallen werden door hen die minder geluk hadden.

De toestand werd met de dag hachelijker. Ben mocht niet uit de kleine driehoek achter de muur. We hadden de toonbank en het wrak van de bestelwagen gebruikt om die te verstevigen en op te hogen. Ben huilde omdat hij dag en nacht opgesloten zat.

Een groepje mensen – ze noemden zichzelf een deputatie – ging op expeditie naar boven. Ze zeiden dat ze naar Kershaw Farm gingen om de soldaten te zoeken en hulp te eisen voor de stad. Ze kwamen niet terug. Het gerucht deed de ronde dat er schoten waren gehoord.

Een andere groep overlevenden liep de weg naar Branford op met de bedoeling een supermarkt een halve mijl buiten Skipley te plunderen. Ze kwamen er 's avonds aan en stelden vast dat het warenhuis bewaakt werd door gewapende mannen in fall-out-pakken. Vanop een afstand hielden ze de boel in de gaten en zagen hoe een vrachtwagen naar buiten werd gereden onder begeleiding van twee mannen op motorfietsen. Het hele gezelschap reed weg in de richting van de heide.

Zo stonden de zaken toen ik op een avond, midden september, als gewoonlijk met mijn emmer op weg ging. We haalden een volle emmer 's morgens om te koken en thee te zetten, en nog een 's avonds voor de was. Een tijdlang wasten we zelfs kleren.

Kortom, ik was onderweg naar De Jagershond. Je moest onze straat oplopen en boven links afslaan. Het was ongeveer een kwartmijl. Plotseling schreeuwde iemand vlakbij. Het geluid scheen uit een smalle zijstraat te komen en ik liep erheen om te kijken. Er kwam een meisje mijn richting uit. Terwijl ze rende, hield ze de riem vast van een plastic sporttas die bij het lopen tegen haar been zwaaide. Twee jongens achtervolgden haar, de ene met een stuk zware ketting en de andere met de sprietantenne van een auto.

Ik ben geen held en het laatste wat ik uitgerekend toen wou, was een gevecht. Maar het meisje was slechts zo'n vijf passen van me vandaan en die twee kerels liepen vlak achter haar. Ik liet mijn emmer slingeren en toen het meisje voorbijliep, zwaaide ik hem naar de knaap die het dichtstbij was. Ik trof hem tegen de zijkant van het hoofd en hij viel. De andere ontweek me en holde het meisje achterna. Ik smeet de emmer naar zijn rug en zette de achtervolging in.

Het meisje was halverwege de straat. Haar groene rok wapperde terwijl ze liep en de tas bonsde tegen haar been. De kerel haalde haar langzaam maar zeker in. Terwijl ik achter hen aanrende, hief hij zijn antenne en zwiepte die over haar schouder. Ze schreeuwde, zwenkte plotseling af en trachtte een stapel kapotte bakstenen op te klauteren. Het puin verschoof en ze gleed weg. De kerel schoot toe en greep de tas beet, maar het meisje bleef de riem vasthouden. Hij rukte aan de tas en sloeg herhaaldelijk op haar in, maar ze liet niet los en hield haar vrije arm als een schild voor haar hoofd.

Hij was zo geconcentreerd op de tas dat hij niet omkeek om te zien waar ik was, tot ik bijna bovenop hem zat. Ik greep een halve baksteen en gooide ermee toen hij zich omdraaide. Hij sloeg beide handen voor zijn gezicht. Bloed spoot tussen zijn vingers vandaan en liep over zijn handen.

Ik grabbelde het meisje bij een arm en trachtte haar mee te sleuren.

"Nee, wacht!"

Ze rukte zich los, bukte en trok iets uit het puin. Het was een stuk ijzeren traliewerk, een van die ouderwetse met een speerpunt eraan.

De kerel die ik had neergekogeld, zat ineengezakt, zijn handen voor zijn gezicht.

Ik besefte niet wat ze van plan was tot ze haar tas liet vallen en de spies met beide handen boven haar hoofd hief. Ik stond versteld, tot het bijna te laat was. Toen wierp ik mij op haar, ramde het meisje van opzij en viel bovenop haar. De stang vloog uit haar hand en kletterde naar beneden, de helling af. De jongen krabbelde overeind en waggelde weg, zijn handen nog altijd voor zijn gezicht.

Ik wierp een blik op de lange spies en toen op het meisje. Ze had zich onder me vandaan gewurmd en was vuil van haar mouw aan het kloppen. Ze leek kwaad. Ik zei: "Je zou het toch niet hebben gedaan, hé? Hem doodgestoken, koudweg?"

Haar ogen bliksemden naar me, haar lippen waren opeengeperst. Ze trok haar kleren recht. Toen kreeg haar gezicht een zachtere uitdrukking en ze zei: "Het zal gaan om ons of om hen, weet je." Ze pikte de tas op en stond op me neer te kijken terwijl ze ermee zwaaide.

"Komaan."

Ik scharrelde weer overeind en keek rond. De twee kerels waren weg en ik zei: "Zie je wel, je hoefde niet zó radicaal te zijn."

Ze glimlachte en ik bekeek haar. Ze was mager en had lang, bleek haar. Veertien of zo. Ze droeg die groene rok, dunne streepjes wit en groen eigenlijk, een schooluniformrok, en sandalen. Haar tenen en de wreven van haar voeten waren vuil. Ze leek lief, wat gek is om te zeggen na wat ze van plan was geweest.

Hoe dan ook, ze zei: "Heb je alles goed bekeken?"

Ik voelde mijn gezicht rood worden en zei: "Waarom zaten ze achter je aan?"

Ze hield de tas omhoog. "Hierom."

"Wat zit erin?" vroeg ik. Ze keek me ongelovig aan.

"Eten, natuurlijk. Wat anders?"

In plaats van te antwoorden zei ik: "Ik heet Danny en hoe heet jij?"

"Kim."

"Waar woon je?"

Ze maakte een vaag wuivend gebaar: "Daar."

"Welke straat?" drong ik aan.

"Victoriaplein," antwoordde ze. "Waarom?"

Ik haalde de schouders op. "Ik vroeg het me gewoon af. Kun je het redden nu?"

Ze lachte schamper. "Tuurlijk. En jij?"

"Zal ik met je meegaan?"

Ze keek me koeltjes aan. "Heb je niet je eigen problemen?"

Ik schokte weer met mijn schouders. "Ik denk het wel. Maar ik zou je naar huis gebracht hebben, als je dat wou."

"Hoe komt het dat je het niet gemunt hebt op mijn eten? Of heb je dat soms wel?"

"Nee!" flapte ik er kwaad uit. "Ik heb het niet nodig. Wij hebben een winkel."

Ik besefte meteen dat ik dat beter had verzwegen. Vader zou hebben gezegd dat ik met ons geluk te koop liep. Wees er dankbaar om, herhaalde hij telkens, maar loop er niet mee te koop.

Ze moest de uitdrukking op mijn gezicht hebben begrepen, want ze zei: "Het is in orde. Ik heb jouw spullen ook niet nodig. Ik weet iets in de buurt van Branford."

"Hoe ziet het eruit?" vroeg ik.

"Wat?"

"Branford."

Door met haar te praten voelde ik me voor de eerste keer sinds de bom weer normaal en ik wou niet dat ze wegging. Ik zei: "Laat ons in de richting van jouw huis wandelen, we kunnen onderweg praten."

Ze bekeek me een ogenblik zonder iets te zeggen. Toen haalde ze de schouders op en zei: "Oké. Maar één verkeerde beweging en ik smeer 'm, begrepen?"

Ik knikte.

We begaven ons op weg. De zon was weggezakt achter de gebroken daken en de schemering drong de kleine straatjes binnen. "Je wil weten hoe Branford eruitziet?" vroeg ze. "Foetsie, zo ziet het eruit. Eén grote bom, één groot gat, geen Branford meer."

"Geen overlevenden?"

Ze schudde het hoofd. "Ik denk het niet. Dat gat is enorm diep. Vier keer ben ik er dichtbij geweest en ik heb nooit één levende ziel gezien."

Ik trapte tegen een stuk baksteen. "Tweehonderdduizend mensen. Ik vraag me af wie ze allemaal een kaartje gaat geven."

Ze keek even naar me van opzij. "Je gelooft al die onzin toch niet, of wel?"

"Wat voor onzin?"

"Wat er in dat boek staat."

Ik haalde de schouders op. "Ik maakte een grapje over die kaartjes, maar iemand zal uiteindelijk toch komen."

Ze grinnikte kort, zwaaide met haar tas. "Wie? De vijand? De kerels die ons dit hebben gelapt? Ze zitten in hetzelfde schuitje als wij, Danny jongen."

"Nee!" Ik wees met een ruk van mijn hoofd naar de hei. "Zij. Die soldaten of wat ze ook zijn. Zij zullen komen om orde op zaken te stellen."

"Waarom zouden ze?" Er flikkerde een spottend lichtje in haar ogen.

"Omdat het hun taak is!" snauwde ik. "Daarom. Soldaten springen altijd bij als er een ramp is."

"Idioot!" Ze zwaaide de tas een volle cirkel rond. "Zou jij op die troep hier afkomen als je daar op de hei zat in je beschermende uitrusting bovenop een bunker vol onbesmet eten?" Ze lachte. "Het zijn maar mensen, weet je, zoals jij en ik. Ze willen overleven, net zoals wij. Je denkt toch niet dat ze van plan zijn al dat prima eten boven te halen en het ons voor te schotelen, of wel?"

Ik haalde weer de schouders op om mijn onrust te verbergen. De verdwenen deputatie. De schoten. Wat ze zei, scheen te worden bevestigd door wat er tot nu toe was gebeurd.

"Ik weet het niet, Kim," zei ik. "Ze doen er wel lang over, maar ik kan niet geloven dat ze ons simpelweg zouden laten sterven."

"Kan je dat niet?" Ze keek me zijdelings aan. "Ik zal je wat vertellen, meneer. Als zij hier beneden zaten en ik zat daar boven, dan zou ik hèn laten creperen, reken maar." Ze stopte. "Hier woon ik overigens."

Het was een uitgebrand huis in een rij uitgebrande huizen. Ik grijnsde. "Beter dan wij," zei ik. "Wij hebben alleen een kelder."

"O, jawel," kaatste ze terug, "maar die zit toch vol eten, hé?" Haar ogen spotten nog.

"Luister eens." Ik staarde naar de straatkeien, schuifelend met mijn voeten. "Ik... Kunnen we elkaar weerzien? Waar haal je je water vandaan?"

Ze grinnikte. "De Jagershond, net als jij. Alleen gaat mijn zus het halen."

"Kan jij niet in haar plaats komen? Morgenavond?"

Ze haalde de schouders op. "Geen idee. Hangt ervan af, hé? Nu moet ik naar binnen."

Ze draaide zich om en liep het pad op. Ze klopte met haar vlakke hand op een verschroeide deur, twee keer. De deur ging open. Ik gluurde door de schemering om haar zus te zien. Er tekende zich alleen een bleke schim af tegen het donker. Op de stoep draaide Kim zich om en riep zachtjes: "Goeienacht! Bedankt voor de redding!" Toen was ze weg en mijn goeienacht zei ik tegen de zwartgeblakerde deur.

11

Toen ik die nacht naast Ben in de kelder lag, moest ik voortdurend aan Kim denken. Gek, ik had voordien al meisjes gekend die ik leuk vond, maar niet zo dat ik er niet van slapen kon. Ik lag te denken aan dingen die ik had moeten zeggen. Ik wou dat ik koeltjes of geestig was gebleven, in plaats van te staan stotteren. Ik was er voor de drommel zelfs niet in geslaagd goeienacht te zeggen voor ze de deur dichttrok. Hoe meer ik in gedachten alles overliep, hoe sulliger mijn optreden mij leek en hoe meer ik ervan overtuigd raakte dat ik haar nooit weer zou zien. Wat een sufferd was ik geweest.

Het feit dat ze op het punt had gestaan een kerel te vermoorden werd als het ware overstemd door al die andere gevoelens. Het was ook niet moeilijk verontschuldigingen te vinden. We deden mee aan een nieuw spel. De oude regels waren niet langer van toepassing. In dit spel waren er geen regels, alleen die die we zelf maakten tijdens het spelen. Misschien was Kim beter geschikt voor dit nieuwe spel dan ik. Misschien had ik het recht niet gehad haar tegen te houden.

De tweede helft van de nacht had ik de wacht en ik was doodop. Ik had nauwelijks geslapen door aan Kim te denken en ik bleef maar aan haar denken terwijl ik half bevroren in het donker stond te turen met het jachtgeweer dat vader ergens had bemachtigd. Mijn blik dwaalde herhaaldelijk af in de richting van het Victoriaplein en elke keer kreeg ik zo'n pijn in mijn borst. Ik leek wel zo'n hopeloos verliefde flauwerd uit een oude film.

Desondanks begon de volgende morgen als gewoonlijk. Vader kwam naar boven met het kooktoestel en zijn scheergerief. Hij was de laatste gladgeschoren vent in Skipley. Ik ging water halen. Ik wist dat Kim er niet zou zijn. Ik keek uit naar iemand die haar zuster kon zijn, maar de enige vrouw die ik zag, was meer iemands grootmoeder. We warmden het water op en ik bracht Ben zijn ontbijt beneden. Hij nam altijd corn flakes met hete poedermelk. Vader en ik aten ons ontbijt buiten op en daarna schoor hij zich. Voorover geleund op zijn stoel keek hij in een scherf van een gebroken spiegel, die tegen mijn stoel stond.

Achteraf bekeken was het een akelige tijd, die eerste drie weken na de bom. Zo onwerkelijk. Zo kwam het tenminste op mij over en ik geloof dat het voor iedereen het geval was. Een leven was voorbij en het volgende was nog niet begonnen. We trachtten ons vast te klampen aan het oude leventje, maar dat ontglipte ons, en in afwachting zwalkten we doelloos rond. Die dag, de dag nadat ik voor het eerst Kim ontmoet had, kwam er een einde aan ons wachten. Het was de eerste dag van het nieuwe leven.

Het begon na het ontbijt. We hadden de kommen en de lepels afgewassen en Ben had ze in de kelder opgeborgen. Vader sleurde een groot vierkant zeil aan. We stonden op stoelen en drapeerden het zeil over het metselwerk, zodat het een luifel vormde over onze kleine driehoek. Het hing door in het midden. Vader dacht dat regenwater daar kon samenvloeien en de hele boel kon doen inzakken, dus trok hij een paar planken uit het puin om die te gebruiken als tentpalen. Ik was net gaten ervoor aan het graven toen we de luidspreker hoorden.

Eerst was die zo ver weg dat je niet kon zeggen uit welke richting hij kwam. Ik stak net de schop in de grond toen vader zijn hand naar me ophief: "Ssst!"

We luisterden, spitsten de oren. Er was een gekwaak in de verte als van een blikken eend en Ben schaterde het uit. Vader perste een vinger tegen zijn lippen en Ben onderdrukte zijn giechelbui. Het geluid kwam dichterbij en verdeelde zich in kromgetrokken, onverstaanbare woorden.

Ergens begonnen mensen te roepen. Vader draaide zich om. Zijn ogen glinsterden. "Ze zijn het!" zuchtte hij. "De soldaten. Dat moeten ze zijn!" Hij schepte Ben op in zijn armen en wipte met hem over de toonbank. Ik gooide de schop opzij en liep hem achterna. We bleven staan aan de kant van de weg en keken gespannen de straat af.

Om de hoek kwam een blauwe auto met een luidspreker op het dak. Erachteraan, schreeuwend en huppelend in hun voddenkleren, kwam een menigte mensen.

Terwijl de stoet naderde, kreeg ik een brok in mijn keel en mijn ogen schoten vol tranen. Ze liepen over mijn wangen, maar het kon me niet schelen. Ik herinnerde mij een beeld uit een journaal dat ik ooit zag: de geallieerden die Parijs binnenkwamen in 1944. Mensen gooiden bloemen. Ik wist nu hoe die zich gevoeld moesten hebben en ik wou dat ik bloemen had om te gooien.

Het voertuig vorderde op wandeltempo en stopte ongeveer ter hoogte van waar wij stonden. De ruiten waren van verdonkerd glas, de inzittenden waren vaag te zien binnenin.

"Wij vertegenwoordigen uw plaatselijke commissaris," klonk het. "Aandacht voor een speciale instructie." Er was een korte pauze, waarin het bonte escorte van het voertuig applaudisseerde en juichte. Het omroepen ging verder.

"Een noodhospitaal is opgericht naast het hoofdkwartier van het plaatselijk commissariaat bij Kershaw Farm en een konvooi ziekenwagens volgt achter deze auto. We vragen al wie daar lichamelijk toe in staat is verbrande, zieke en ernstig gewonde personen uit de gebouwen naar buiten te brengen, tot naast de rijweg. Alstublieft, hou er wel rekening mee dat alleen zware gevallen zullen worden behandeld. Personen die lijden aan lichtere verwondingen zullen op gepaste tijden worden verzorgd. Dat is alles."

De auto reed verder onder een nieuwe uitbarsting van gejuich. Ik volgde hem tot het einde van de straat en wandelde toen terug, opgewekt en opgelucht. Groepjes mensen doken op uit de ruïnes met hun zieken en gewonden. Weldra was de straat met hen afgezoomd. Ze hingen in leunstoelen of lagen op deuren en matrassen

41

terwijl familieleden in hun buurt bleven ronddrentelen in afwachting van de ziekenwagens.

Het verbaasde me hoeveel mensen er waren. De meesten moesten de voorbije drie weken in de beschutting van hun huizen zijn gebleven omdat ik erg weinig mensen had gezien op straat of bij de waterput. En het aantal dat bij ons om voedsel kwam, was nauwelijks veranderd.

Vader werkte alweer verder om de palen recht te zetten. Ik hielp hem, blij dat het ergste nu voorbij was. Kleine Craig Troy dook op en hij en Ben speelden samen tussen het puin. Hun stemmen sneden schril in onze oren terwijl we aan het werk waren.

Het duurde meer dan een uur voor de eerste ziekenwagen verscheen. Het was geen ambulance, maar een militaire vrachtwagen met een huif van zeildoek. Op de zijkanten waren ruwweg rode kruisen geschilderd. Het voertuig werkte traagjes de straat af en stopte elke paar meter om slachtoffers op te pikken. Terwijl de gewonden aan boord werden gehesen, verdrongen de familieleden zich rond de laadklep en riepen vragen met luide, opgewonden stemmen. Wanneer zouden ze op bezoek mogen? Hoelang zou die of die patiënt wegblijven? Wat moest er met de doden gebeuren? Alle vragen werden beantwoord met een schouderophalen, een hoofdschudden of een metalig 'Dat weten we niet'.

Toen de vrachtwagen vol zat, werd de laadklep dichtgeslagen en raasde het voertuig weg, dwars door de toeschouwers. De familie van wie achter was gelaten, kreunde en riep de wagen achterna, maar kort daarop verscheen er een tweede vrachtwagen en toen die uiteindelijk de hoek omdreunde, waren er geen gewonden meer overgebleven in onze straat.

De mensen bleven nog een tijdje rondhangen voor een praatje. Vader en ik legden de laatste hand aan ons dekzeil terwijl Ben en zijn kameraad soldaat en slachtoffer speelden met een kartonnen doos als vrachtwagen. Als ze hadden geweten wat er bij Kershaw Farm gebeurde, dan zouden ze wel iets anders hebben gespeeld.

12

Als de soldaten niet waren gekomen, zou het een lange dag zijn geworden. Ik zou wat hebben rondgelummeld en altijd aan Kim hebben gedacht, mezelf suf piekerend of ze bij de waterput zou opduiken of niet. Nu werd het avond voor ik het besefte.

Ik nam de emmer en wandelde de straat op, gelukkiger dan ooit sinds de bom. In zekere zin gelukkiger ook dan daarvoor, omdat ik voor de bom niet besefte dat ik gelukkig was.

Al wandelend dacht ik na over de mensen boven in het hospitaal. Drie weken lang hadden ze uitgehongerd en met pijn tussen de koude ruïnes gewacht. We hadden 's nachts hun kreten gehoord, maar we hadden niets kunnen doen. Nu stelde ik me hen voor in rijen warme, zuivere bedden, hun wonden verbonden en hun honger gestild, zachtjes insluimerend onder de waakzame ogen van verpleegsters. Zelfs de slachtoffers met de stralingsziekte, die zeker gingen sterven, zouden rustig heengaan, hun zinnen verdoofd door pijnstillers.

En dat was niet alles, hield ik mezelf voor. Spoedig zouden ook de minder ernstig gewonden worden verzorgd. Misschien zouden er ziekenhuizen worden opgericht waar je gewoon naartoe kon gaan, zelfs als je nog maar tandpijn had. Daarna zouden er voedingscentrales komen, zoals in het boek stond, met warme maaltijden voor iedereen. Hoefde je geen halve nacht wakker te blijven om je voorraad te bewaken.

Het was een prettig vooruitzicht. Ik herinner me dat ik zuchtte bij het beeld alleen al. En het feit dat ik op weg was en misschien Kim zou zien, deed me helemaal op wolkjes lopen.

Ze was er nog niet. Wel twee kerels die in de met keien bestrate binnenplaats eveneens water haalden. Ik bleef wat treuzelen bij de overwelfde gang naar de binnenplaats.

Ik begon me net zorgen te maken toen ik me omdraaide en haar zag. Met dezelfde kleren en een emmer. Er sloeg iets om in mijn borst en mijn gezicht gloeide.

"O, hallo, Kim," zei ik luchtig. Deze keer zou ik kalm blijven.

"Hallo," zei ze. "Al lang aan het wachten?"

"Net aangekomen. Dacht dat je al weer weg was." Kalm.

Ze haalde de schouders op. "Waar was je dan zo voor aan het treuzelen?"

"Mijn beurt aan het afwachten." Ik knikte naar de twee mannen. Ze kwamen onder het gewelf door met hun voorraad water.

We gingen onder de boog door naar de binnenplaats. Ik keek toe hoe zij de emmer liet zakken. Het was zo'n emmer die daar altijd bleef hangen, vastgebonden aan een touw. Je haalde er water mee op en goot dat dan over in je eigen emmer. Toen ze die vol had, nam ik het touw over. Ze liet echter niet los en we trokken samen, onze handen en heupen tegen elkaar aan. Het touw had ellenlang mogen zijn. De emmer zou wat mij betreft nog te vlug zijn bovengekomen.

Mijn geluk was echter nog niet voorbij, want toen ik mijn eigen water begon op te halen, nam ze ook het touw vast en trok samen met mij. Hand en heup. Kalm aan de buitenkant, warm vanbinnen.

"Ik denk dat ik in jouw richting terugloop," zei ik langs mijn neus weg.

Ze glimlachte. "Zo ver uit jouw buurt vandaan?" spotte ze. "Wacht er niemand op het water?"

"Vader," zei ik. "Hij kan wachten." Ik maakte aanstalten om beide emmers op te tillen. Ze grabbelde de hare vast en trok hem naar zich toe, waarbij ze wat morste.

"Ik kan hem wel aan," zei ze. "Ik ben niet verlamd, weet je."

Ik schokte met mijn schouders. "Ik wou een gentleman zijn, dat is alles."

"Heb je het nog niet gehoord?" vroeg ze. "Gentlemen bestaan niet meer. Holbewoners zijn nu de baas, oké?"

We verlieten de binnenplaats.

Haar grapje over die holbewoners had me aan de soldaten herinnerd. Ik zei: "Je had het mis met die soldaten: ze zijn wel gekomen." Ik bekeek haar van opzij. Het water woog zwaar en ze helde over onder het gewicht. Ze fronste de wenkbrauwen.

"Ze kwamen inderdaad," zei ze, "maar vond je het niet wat raar?"

"Wat? Dat ze de slachtoffers meenamen? Wat is daar nu raar aan?"

"Er is een oud koppel," zei ze, "twee huizen bij ons vandaan. De oude vrouw is opzij helemaal verbrand. We droegen haar vanmorgen naar buiten en ze laadden haar op, samen met heel wat anderen. De oude kerel was totaal van streek. Maureen, dat is mijn zus, vroeg wanneer hij haar mocht komen bezoeken. De soldaten schudden alleen wat met het hoofd. Ze zeiden niet wanneer, of dat bezoek niet was toegelaten. En toen ze het weer vroeg, duwden ze haar zowat opzij en reden weg. Dat leek me niet pluis."

"Ze zullen het enorm druk hebben gehad," zei ik. "Er moeten wel duizenden slachtoffers zijn. Er zal geen tijd zijn voor flauwekul als bezoek."

"Dat is nog zoiets." Ze trapte een steentje weg en keek hoe het over de plaveien wegschoot. "Hoe gaan ze in godsnaam duizenden mensen verzorgen? Wat voor een hospitaal kan je bouwen in drie weken? Ik denk dat ze wat te verbergen hadden en daarom wilden ze Maureen geen antwoord geven."

"Onzin!" Het was mijn bedoeling niet geweest zo tegen haar uit te vliegen, maar ze scheen vastbesloten om wat tot nu toe een volmaakte dag was geweest, te bederven. Ik wou haar dat net zeggen toen er achter ons enig tumult uitbrak. We draaiden ons om.

Een man kwam de straat af. Een kreupele. Hij sleepte met zijn been en zocht overal steun. Zo bewoog hij in een reeks hortende sprongetjes van het ene steunpunt naar het andere. Hij riep met een hoge, hese stem. Hij was te ver van ons af om te kunnen verstaan wat hij zei.

We zagen hoe een paar mannen naar buiten kwamen, hem vastgrepen en hem neerzetten op de motorkap van een uitgebrande auto. Hij bleef maar roepen, zwaaide met zijn armen in het rond en trachtte overeind te komen. Een van de mannen riep wat en een vrouw kwam aangelopen. De man zei iets tegen haar. Ze zakte neer op het trottoir met haar handen over haar oren en schudde met haar hoofd.

"Er is iets gebeurd!" riep Kim. "Komaan!" Ze zette de emmer neer en begon naar het groepje rond de auto te lopen.

Ik stond haar achterna te staren terwijl de angst als ijskoud water door mijn ingewanden joeg. Ik kon niet bewegen. Ik weet nog hoe ik dacht: als ik doodstil sta, zal het misschien niets zijn. Het zal niets zijn.

Ik zette zelfs mijn emmer niet neer. Ze keek om toen ze bij de wagen was, maar ze was te ver weg om de uitdrukking op haar gezicht te zien.

Ze sprak met hen. De man op de motorkap was wat rustiger geworden, maar de vrouw zat nog ineengekrompen op de grond. Kim boog zich voorover en raakte haar handen aan, maar ze gaf geen antwoord. Kim kwam naar me terug, traagjes, tot ik haar ogen kon zien. Ze keken me niet aan. Ze keken nergens naar. Toen ze bij me was, zei ze niets, maar nam haar emmer op en liep verder. Ik nam de mijne in mijn andere hand en ging haar achterna.

Toen we bij haar poortje kwamen, liep ze het pad op zonder een woord te zeggen. Ik riep haar achterna: "Kim?"

De dag die zo veelbelovend was begonnen, werd zo langzamerhand een nachtmerrie.

Ze stopte en draaide zich om. Toen ze sprak, was haar stem dood, zoals haar ogen.

"Ze hebben hen afgemaakt, Danny," zei ze. "Een voor een. Mensen hoorden schoten en kwamen de weg oplopen. Ze zagen een bulldozer en een paar putten. Mannen in fall-out-pakken begonnen op hen te schieten. Die man kon ontkomen." Ze hield even op, beet op haar lip en tuurde naar de grond. "Daar zullen ze het niet bij laten," ging ze verder met dezelfde doffe stem. "Nu ze de zieken hebben afgeslacht, zullen ze andere slachtoffers zoeken – oude mensen misschien of kinderen. En daarna anderen en weer anderen, tot het onze beurt is. Wij of zij." Ze bekeek me van top tot teen, alsof ze mijn kansen afwoog. "Holbewoners tegen gentlemen is geen vriendenwedstrijd," zei ze. "We moeten zo hard zijn als zij, Danny jongen. Of harder. Tot ziens."

Ik keek haar achterna tot de deur dichtklapte en begaf me toen door de schemering naar huis. Vuren flikkerden in sommige huizen. Kooklucht dreef rond en ik hoorde fragmenten van gesprekken. Iemand speelde op een mondharmonica en een luid geschater barstte los achter het donker van een raam zonder ruit.

Ik stelde ze mij voor, deze onzichtbare mensen, even gelukkig als ik was geweest, in de mening dat hun dierbaren veilig en wel waren. Nu ik beter wist, hoe de zieken hun dood tegemoet gingen met ons gejuich in hun oren, trachtte ik me onverschillig voor te doen. Medelijden was iets van vroeger. Je moest keihard zijn.

Ze waren dus dood, zuchtte ik. En dan?

Toen dacht ik aan die oude vent die zat te wachten tot zijn vrouw thuiskwam, en hoe prachtig hij haar vond, ook al was ze dan een lelijk, oud wijfje. Hij zou wachten en wachten en haar nooit weerzien. Zelfs al zou hij eeuwig op haar wachten. En ik begon te huilen en sleepte me voort met de emmer hotsend achter me aan terwijl tranen over mijn wangen rolden. Holbewoners tegen gentlemen. Keihard tegen medelijden. Geen vriendschappelijke wedstrijd.

13

Je zou verwachten dat, toen het nieuws eenmaal de ronde had gedaan, alles grondig zou veranderen. Je zou zelfs een soort opstand hebben kunnen verwachten, een massa-aanval op Kershaw Farm of iets dergelijks.

Ik hield er rekening mee. Die nacht in bed vroeg ik me af hoe het zou aflopen wanneer alle mensen in Skipley de heuvel bestormden. Niet àls, maar wannéér!

Het kwam nooit zover. De enige tekenen van verzet waren wat geroep en geschreeuw en een paar mensen die de heuvel optrokken met stokken en andere rommel. De soldaten waren erop voorzien en de belegeraars kwamen oog in oog te staan met een APC. Dat is een gepantserd voertuig met bemanning, een soort kleine tank met mitrailleurs. Ze hadden geen leider en geen vast plan, dus gooiden ze hun stokken weg en kozen het hazenpad.

Ik was enorm terneergeslagen. Net zoals iedereen. We hadden gewacht en gewacht op iemand die ons zou komen helpen. Onze hoop was hoog opgelaaid, maar nu was die gedaald tot onder het vriespunt. Het was erger dan het zou zijn geweest als de soldaten nooit gekomen waren.

Zelfs Ben leed eronder. Hij had geen besef van wat er aan de hand was, maar hij zag zichzelf eens te meer opgesloten achter de muur. Vader zei dat de mensen radeloos zouden worden en hij wou niet dat het joch zomaar rondliep.

Hij had gelijk. Er hing iets nieuws in de lucht: een spanning, alsof er iets afschuwelijks aan het broeden was, wat elk ogenblik kon uitbarsten. Toen ik naar de waterput ging, nam ik een knuppel mee. Iemand had de emmer meegenomen. Ik moest in het puin rondscharrelen op zoek naar iets om de mijne aan vast te binden.

De hele tijd had ik het gevoel dat iemand me in het oog hield, alsof ik het water van iemand anders stal. Ten slotte vond ik een eind tv-kabel en ik haalde wat water op. De kabel rolde ik rond mijn middel voor ik de binnenplaats verliet. Dáárvoor zou ik hem voor de volgende hebben achtergelaten, maar als iemand de emmer had gegapt, dan zouden ze de kabel ook wel pikken.

Maar dat was nog niet het ergste. Het ergste kwam toen ik ontdekte dat sommigen hadden geweten dat er geen hospitaal was. Het was een paar dagen later. Ik stond net onder het gewelf toen ik twee kerels en een vrouw hoorde praten.

"Wel, het was te verwachten, hé?" zei een van hen. "Ik bedoel, dat het zo is als met de nazi's. Van het ogenblik dat ik dat hoorde van die luidsprekers, zei ik bij mezelf: 'Ja, dat is zoals de nazi's met hun gastreinen.'" De anderen knikten.

"Ja," zei de vrouw, "we dachten ook wel zoiets, maar wat konden we doen? Ze zat onder de brandwonden en het is al moeilijk genoeg om eten te vinden voor twee..."

Dat was het ergste: dat het zover komt dat je je eigen mensen de dood instuurt onder het motto 'liever zij dan wij'.

14

De situatie werd er niet beter op. Het was immers oktober en we hadden de eerste steek vorst al gehad. Tenten en geïmproviseerde schuilplaatsen waren opgerezen tussen de ruïnes. De laatste restjes eten waren uit de leegstaande huizen verdwenen en nu werden alle tapijten, het beddengoed en stukken linoleum er nog uitgehaald. Kleren werden gejat uit de ruïnes en van de doden en we zagen er opgeblazen uit omdat we zoveel lagen boven elkaar droegen.

De spanning in de lucht was nog meer te snijden. Ze werd nog verhoogd door de lange stilte uit Kershaw Farm. We hadden een volgend bezoek verwacht van de luidspreker. We spitsten er onbewust onze oren voor terwijl we met ons werk bezig waren. Maar er gebeurde niets.

Ik had Kim niet weergezien. Water halen was een gevaarlijk karweitje geworden en ik bleef er niet rondhangen. Ik liep goed door in het midden van de weg, de emmer in de ene hand en een knuppel in de andere. Ondertussen hield ik de puinhopen aan weerskanten in de gaten. Het eind kabel zat om mijn heupen gewonden, verstopt onder mijn kleren.

Als er volk bij de put was, wachtte ik onder het gewelf met mijn rug tegen de muur. Toen de dagen korter werden, begonnen mijn avondlijke tochtjes vroeger en vroeger: ik moest vóór donker thuis zijn. De meesten gingen nog alleen 's morgens water halen. Ik zou hetzelfde hebben gedaan als ik niet altijd was blijven hopen Kim daar te ontmoeten. Er leek meer kans op door twee keer per dag te gaan, maar we waren nooit tegelijkertijd bij de put. Ik begon te vrezen dat haar iets was overkomen.

Het zou me niet hebben verwonderd. Meer en meer mensen stierven aan de ziekte en iedere nacht werd er wel een of andere arme stakker van kant gemaakt voor zijn kleren of voor iets eetbaars wat hij bij zich had.

De eerste nieuwe woorden ontstonden. Op een morgen bij de put hoorde ik een man vertellen over de waanzinnige mannen en vrouwen die door het puin ronddwaalden terwijl ze in zichzelf praatten of naar verloren familieleden riepen. 'Zwevers', noemde hij ze. En ik had de naam 'terminalen' horen gebruiken voor hen die aan de ziekte doodgingen. Het waren maar woorden, maar ik had het er moeilijk mee. Als je mensen zo gaat noemen, zijn ze daardoor op een of andere manier niet meer zo menselijk.

Een paar ochtenden later hoorde ik nog zo'n woord, hoewel ik niet wist wat ermee werd bedoeld. 'Dassen'. Een kerel zei dat hij wist waar er een paar dassen zaten, en of die andere vent hem niet zou willen helpen ze uit te graven?

De andere knul zei nee en ze begonnen te bekvechten. Toen kregen ze mij in het oog en een van beiden, de kerel die wist waar de dassen waren, kwam op me toe. Ik omknelde mijn knuppel en hield hem argwanend in de gaten.

"En jij?" gromde hij. "Zou jij me niet een handje willen toesteken?"

Ik haalde de schouders op. "Ik weet het niet," zei ik. "Zijn dassen lekker om te eten?" Hij lachte het uit. "Wij eten geen dassen," zei hij. "Niet de dassen: zo laag zijn we nog niet gevallen. Maar we eten wel wat ze in hun holen hebben, nietwaar, Ken?"

Hij keek even over zijn schouder naar de man bij de put, die het hoofd schudde en mompelde: "Jij wel, Charlie, ik niet."

"En of!" beaamde Charlie. "Dat doe ik. Wat denk je ervan, jochie?"

Ik wist niet wat ik moest zeggen. De man leek me een buitenkansje aan te bieden om aan voedsel te komen. Ik had dat niet zo nodig, maar dat wou ik hem niet laten weten. Aan de andere kant was ik er bijna zeker van dat dassen geen voedsel hamsterden. "Ik weet het niet," zei ik weer.

Hij slaakte een zucht en spreidde zijn armen open. "Kijk, jongen," zei hij, "ik doe je een voorstel. Jij steekt ons een handje toe en je krijgt jouw deel van de winst. Het kost ons maar een uurtje en het wordt het vlugst verdiende potje dat je ooit hebt gekookt, afgesproken?"

Ik hief mijn emmer op. "Ik moet water naar huis brengen. Mijn vader wacht erop."

"Doe alsof je thuis bent!" Hij deed een stap opzij en zwaaide met zijn hand naar de put. "Breng dat water naar huis en kom dan hier terug. Je zal er geen spijt van krijgen."

De andere kerel had zijn emmer gevuld. Hij kwam onder de boog door naar buiten. Toen hij me voorbijging, kruisten onze blikken elkaar en hij schudde het hoofd, heel, heel stiekem. Maar Charlie had het gezien en zijn lach schalde. "Ga weg, Ken!" bulkte hij. "Jij bent een zacht eitje, dat is het probleem met jou. Jij eindigt nog eens met een ingeslagen schedel of anders crepeer je van de honger!"

Een zacht eitje. De woorden van Kim echoden door mijn hoofd. *We moeten zo hard zijn als zij, Danny jongen.* Ik keek Charlie aan.

"Afgesproken," zei ik. "Ik zie je hier weer zo gauw ik kan." Hij grinnikte. "Gelijk heb je, jochie," zei hij. "Als je er maar niet te lang over doet of iemand anders is weg met mijn verdomde dassen!"

15

Ik vertelde vader geen woord over Charlie. Ik zei hem dat ik iemand moest zien. Hij vroeg me voorzichtig te zijn.

Charlie wachtte onder het gewelf. Hij was ondertussen ergens naartoe geweest, want hij had een paar spullen bij zich: een volle draagtas en een of andere bus met een straalpijp eraan.

"Wat is dat?" vroeg ik.

"Om rook te maken. Kom mee." Hij vertrok en zette er meteen flink de pas in. Ik volgde met mijn knuppel.

We gingen naar de westhoek van de stad, een wijk met grote, dure huizen en door bomen afgezoomde lanen. De schade was hier beperkt, maar er was niemand te zien. Ik dacht dat we naar het Calverleybos gingen, waar soms dassen werden gesignaleerd, maar dat was niet het geval. Charlie troonde me mee naar een laan die overkoepeld werd door verzengde wilde kastanjebomen. Bij de toegangspoort naar een huis hielden we halt.

"Hier is het," gromde hij. Een betonnen oprit voerde naar een paar garagedeuren. Charlie liep de oprit op en ik volgde hem, niet op mijn gemak. Het leek me niet waarschijnlijk dat dassen hun hol zouden maken in iemands tuin. Ik begon te wensen dat ik niet was meegekomen. Die andere kerel had geweigerd en hij had getracht me te waarschuwen. Waarvoor?

Ik had kunnen weglopen, maar ik deed het niet. Ik volgde Charlie over een pad tussen de garage en de zijkant van het huis.

Er lag een ruime tuin achteraan: grotendeels grasperken, met een hoge muur en oude bomen eromheen. Het moest vroeger mooi zijn geweest, maar nu was het gras geel en de bomen zagen er verschrompeld uit.

"Waar zijn de dassen?" fluisterde ik.

Charlie had de tas op het pad neergezet en friemelde wat aan de bus. Hij duwde zijn vinger waarschuwend tegen zijn lippen en wees toen naar ergens in de tuin. Er was een gazon, dan een soort berm van ongeveer een meter hoog en daarachter weer een ander gazon. Stenen trappen leidden van het ene naar het andere grasperk. In het midden van het tweede gazon lag een plaat beton ter grootte van een biljarttafel. Charlie had daarnaar gewezen. Ik keek ernaar en toen naar hem beneden.

"Wat is het?" fluisterde ik. Een donker vermoeden rees op in mijn hersenen. Hij keek omhoog terwijl hij in een lucifersdoosje peuterde.

"Schuilkelder."

Ik werd koud. "Bedoel je...?"

"Jawel!" Rook steeg op uit de straalpijp. Hij richtte zich op. Ik deinsde achteruit, mijn handen om de knuppel gekneld. Hij stopte de lucifers in een zak van zijn jack en liet zijn hand daar. Ik schudde het hoofd.

"Nee," fluisterde ik, "dat kan ik niet. Je zei dassen. Ik ga ervandoor."

"Geen grapjes!" Zijn hand kwam uit zijn zak. Hij hield een klein pistool vast. "Het is een klus voor twee, jochie. Jij doet jouw deel of je bent erbij: zo simpel is het." Zijn stem was niet hoger gekomen dan een laag gegrom, maar hij meende zonder twijfel wat hij zei. Hij keek naar de knuppel. "Laat vallen."

Ik liet hem vallen en hij zei: "Neem de roker." Hij ging achteruit, ik bukte me en nam het ding op bij het handvat.

"Goed." Hij wees naar het apparaat met zijn vrije hand. "Al wat jij moet doen, is daarop knijpen als je wil dat er rook uitkomt. Dat doe je als ik het je zeg en je blijft het doen tot ik stop zeg. En denk erom..." Hij hield het wapen onder mijn neus. "Ik hou je in de smiezen."

Hij nam de tas op en we staken het grasperk over, naar de trappen. Hij deed mij eerst naar boven gaan. Twee korte pijpen staken uit het beton, een aan elke kant. Charlie bracht zijn mond bij mijn oor.

"Jij staat bij die ene daar. Als ik met mijn hoofd knik, schuif je de straalpijp naar binnen en je begint te knijpen. En wat er ook gebeurt, je blijft knijpen. Als je stopt voor ik het zeg, ben je d'r geweest, begrepen?" Ik knikte.

Hij ging naar het andere eind en begon vodden uit de draagtas te halen. Het pistool lag naast hem in het gras. Toen hij een hoopje bij elkaar had, hurkte hij neer en begon de vodden in de pijp te stoppen. Ik keek toe en verwenste mezelf dat ik niet beter naar de man die Ken heette, had geluisterd.

Charlie propte de laatste vod de pijp in, zette de tas over de pijp heen en pakte zijn pistool. Hij hield het voor zich uit, kneep één oog dicht en tuurde met het andere over de stompe loop heen. Toen liet hij het zakken, grinnikte naar me en knikte.

Ik duwde het mondstuk in de pijp en begon te pompen. Charlie kwam bij me op zijn hielen hurken. Hij lachte in zichzelf en speelde met het wapen.

Een tijdje gebeurde er niets en ik begon te denken dat er misschien wel niemand beneden zat. Misschien waren de eigenaars afwezig toen de bom viel.

Toen hoorde ik een geluid: een gesmoorde uitroep, gevolgd door gekuch. Ik keek naar Charlie en schudde het hoofd: een soort stomme smeekbede. Hij hief zijn pistool op, mikte onheilspellend de loop op mij en knikte.

Verstikte klanken kwamen van beneden, als stemmen uit een graf. Ik beefde over mijn hele lichaam en werd misselijk. Charlie hield nog altijd het pistool op mij gericht en ik ging door met knijpen terwijl het koude zweet me over de rug liep.

Toen hoorde ik een nieuw geluid. Met een mechanisch geknars rees een vierkant luik lichtjes omhoog in het midden van het beton. De gesmoorde stemmen werden duidelijker en rook dreef naar buiten. Charlie kroop vooruit, tot hij vlak achter het luik was.

Dat zwaaide achteruit en in de rook verschenen het hoofd en de schouders van een man. Rochelend wankelde de man naar buiten op het beton met zijn handen voor zijn ogen. Charlie hief zijn pistool op.

Ik twijfelde geen seconde. Als ik dat wel had gedaan, zou ik niet zo hebben gehandeld. Ik trok het mondstuk uit de pijp, rende het platform over en sloeg Charlie zo hard ik kon met de bus.

Hij tuimelde opzij en ik gooide de roker weg, greep zijn pols en wrong het wapen uit zijn hand. Ik had gehoopt dat hij bewusteloos was geslagen, maar dat was hij niet. Hij deed een uitval naar mijn enkel terwijl ik wegsprong.

"Stop!" De man draaide zich om, met betraande ogen. Zijn mond viel open. "Sta stil!" riep ik en wierp een blik op Charlie. Hij zat geknield op het beton met zijn hand tegen zijn oor gedrukt.

"Jij!" Ik richtte het pistool op hem. "Sta op en ga naast hem staan. Weg van dat luik."

Gejammer klonk op uit de schuilkelder. Ik keek naar de man. "Zeg ze naar buiten te komen."

Hij staarde Charlie en mij aan, alsof we spoken waren. Misschien had hij boven geen overlevenden verwacht. Zonder zijn ogen van me af te wenden riep hij schor: "Lynne! Kom naar boven. Breng Rebecca mee."

Er kringelde nog steeds rook uit het luik. Een vrouwenhoofd kwam te voorschijn. Ze wankelde de trappen op, verblind door tranen, met een kind van een jaar of drie in haar armen. Het kind had haar jumper ondergekotst. Toen ze me zag, gilde de vrouw en draaide zich om het kind te beschermen.

"Goed," snauwde ik. "Niemand zal je kwaad doen. Charlie?"

Zijn blik vlamde naar me, zijn hand aan zijn oor.

"Ga naar beneden en pak waar we voor zijn gekomen. Ik hou hen hier in het oog."

"Schiet ze neer!" gromde hij. "Niks in 't oog houden."

"Nee," zei ik, "dat is niet nodig. Pak de spullen en we smeren 'm."

Hij schudde het hoofd. "Ik ga niet naar beneden," zei hij. "Hij kan gaan." Hij knikte naar de man.

"Ook goed." Ik richtte me naar de andere. "Ga naar beneden," zei ik. "Haal al het eten naar boven. En ook dekens, kleren en wat je maar kan dragen. Haast je."

De man ging naar het luik toe. "O, en denk erom," zei ik, "geen stom gedoe of je vrouw moet het bekopen." Hij knikte en ging naar beneden.

Charlie krulde zijn lip. "Je vrouw moet het bekopen..." smaalde hij. "Jij bent verdomd te slap, jochie! Dat zou jij niet kunnen doen!"

"Misschien niet," beet ik. "Niet met haar. Maar jij krijgt de volle lading als je me er ook maar een halve reden toe geeft."

Het kind had weer overgegeven en was aan het huilen. De vrouw zette het neer in het gras en wreef het schoon met een zakdoek. De man plofte een kartonnen doos op het platform, wierp een blik op zijn gezin en dook weer naar beneden. Het laatste sliertje rook was opgetrokken.

Hij liep viermaal heen en weer. De vierde keer sleurde hij een armvol beddengoed naar boven. "Dat is alles," zei hij. Ik knikte en hij klom naar buiten.

Ik bekeek de spullen. Wat ingeblikt voedsel, een radio en een batterijlamp. Dekens, kledingstukken en batterijen. Voor die rommel had Charlie drie mensen om zeep willen helpen. In onze kelder moest wel honderd keer meer zitten. Ik huiverde maar werd toen weer meester van mezelf.

"Oké, Charlie!" zei ik. "Pak het op." Ik hield de familie onder schot terwijl hij alles bij elkaar zocht. Ik had er geen benul van hoe het wapen werkte. Waarschijnlijk had ik het niet kunnen gebruiken als ik dat had gewild. Ze stonden op het gazon naar mij te kijken.

Charlie zei: "In orde, jochie. Wat nu?" Hij zat half verborgen achter een stapel dekens. Ik rukte mijn hoofd in de richting van het tuinpad. "Scheer je weg. Ik zal je dekken." Ik draaide me van hem weg en keek de man recht in de ogen. "Als je probeert ons achterna te komen, schiet ik je neer."

"Knal ze toch neer!" riep Charlie, halverwege het gazon. Ik begon hem te volgen, achterwaarts lopend en met mijn ogen op de familie. Ze staarden verlamd terug, onbeweeglijk. Ik draaide me om.

Toen weerklonk een luide knal. Charlie, op de bovenste trap, sloeg voorover, zijn armen wijd uiteen. Ik tolde rond. De familie had zich niet verroerd, maar een andere man stond op de trappen van de schuilkelder met een rokend jachtgeweer in zijn handen. Ik liet me vallen en het tweede schot jankte over me heen. Steengruis sloeg uit de huismuur. Twee lopen, twee schoten. Ik krabbelde overeind en sprong naar de trappen.

Beneden lag Charlie wijdbeens tussen de dekens, rood en vochtig. Blikken bonen over het gras. Ik spurtte weg.

Die nacht, toen ik weer op wacht stond, bleef het maar in mijn hersenen rondspoken. Daar te staan, met het geweer van vader, te wachten om van iemand een Charlie te maken. Zou ik het kunnen, vroeg ik me af, als het eropaan kwam? Knal ze toch neer! zegt Charlie in mijn gedachten. We moeten zo hard zijn als zij, zegt Kim.

In ieder geval, dat waren dus dassen: mensen in schuilkelders. Charlie was niet de enige die jacht op hen maakte. Een voor een werden ze gevonden, uitgerookt en afgemaakt voor hun spullen – om hun egoïsme ook, misschien ("Ik heb toch een schuilkelder!") –, tot niemand van hen overbleef.

Zwevers, dassen, terminalen. Drie nieuwe mensengeslachten. Beter dan mensen neerschieten.

16

Op de duur verloren we alle begrip van tijd. Er was geen radio of tv en alle openbare uurwerken waren stuk of stonden stil. We hadden horloges en huisklokken, maar er was niets om hun juistheid aan te toetsen. We keken nog op onze horloges en zeiden dat het tien uur was of dat het tijd was om te gaan eten, maar dat klopte niet: iedereen had een verschillende tijd.

Met dagen en data was het net eender. Je denkt misschien dat het onmogelijk is dat iedereen vergeet wat voor dag het is, maar dat gaat vanzelf. Zodra er geen werk meer is om naartoe te gaan of geen afspraken meer om na te komen. Ik veronderstelde dat ze op Kershaw Farm wel de exacte tijd zouden bijhouden. Misschien was er ergens wel iemand die inkervingen maakte in een stok, zoals Robinson Crusoe, maar de rest van ons verloor alle notie in een paar weken. Het hele systeem viel in duigen.

We gingen over tot het schatten van de tijd volgens de stand van de zon, naargelang het knorren van onze maag en de intensiteit van het licht.

Ik kan dus niet precies zeggen wanneer de blauwe wagen weer verscheen. Ik weet alleen dat het een morgen was en verbazend koud. Het blikken gekwaak van de luidspreker droeg ver door de vrieslucht.

We waren verzwakt door de combinatie van een aantal factoren: het begin van de winter, het wegkwijnen van alle optimisme, het aangroeien van de angst. Niemand snelde dus toe op het langverwachte geluid. Er was geen huppelende menigte en geen gejuich. We hielden op met dat waarmee we bezig waren, keken elkaar even in de ogen en begaven ons zonder overbodige haast naar de kant van de weg, waar we bleven staan, bedrieglijk dik in verschillende lagen lompen.

De auto maalde zich knerpend door de grauwe, met rommel bezaaide straat, gevolgd door een moddergroene APC. Beide wagens hielden halt en de luidspreker klikte.

"Wij vertegenwoordigen uw plaatselijke commissaris," zei de stem.

"Ja," mompelde een vrouw in mijn buurt. "Dat weten we."

"Luister naar een speciale instructie." We luisterden.

"Tengevolge van het nijpende gebrek aan voedsel en brandstof in deze zone heeft de commissaris een rantsoeneringssysteem opgesteld, dat onmiddellijk van kracht gaat." De spreker pauzeerde. Er was een geschuifel van koude voeten en iemand kuchte.

"Een registratiepost is opgericht in de burelen van het stadhuis aan het Marktplein. Die zal de drie volgende dagen worden bemand. Een rantsoeneringskaart zal er worden uitgereikt aan iedere persoon die zichzelf ter registratie aanbiedt. Ouders of voogden van kinderen moeten hun kinderen met zich meebrengen om kinderrantsoeneringskaarten te krijgen. Niemand zal een kaart krijgen die voor iemand anders is bestemd. De verdeling van voedselpaketten zal een aanvang nemen vanaf de morgen na de laatste registratiedag. Met dit doel is een veldkeuken opgesteld in Ramsdenpark. Voertuigen zullen de stad gedurende de volgende dagen doorkruisen om voedsel en brandstof op te halen voor een eerlijke verdeling. U wordt er tevens van op de hoogte gebracht dat van nu af aan het hamsteren of verbergen van voedsel en brandstof een misdrijf is waarop strenge straffen staan. U wordt verzocht uw medewerking te verlenen aan de overheid in het belang van het nationale herstel. Dat is alles."

De auto's reden voort. De vrouw die eerder al had gesproken, zei: "Wat voor de drommel denken zij dat wij hier hebben? Bergen steenkool en supermarkten of zo?"

"Ik vertrouw ze voor geen haar," antwoordde een man, "niet na die hospitaalgrap. Van mij krijgen ze niets."

"Juist," zei een ander. "We werkten heel ons leven mee met de overheid en kijk wat het ons heeft opgeleverd." Hij wees met een zwaai van zijn arm naar de ineengestorte stad en zijn gebaar werd onthaald op kreten van instemming.

Het groepje mensen begon zich te verspreiden. Vader en Ben waren al weg en ik stond op het punt hen te volgen toen ik iemand hoorde zeggen: "Ik hoop in elk geval dat die Lodges heel hun voorraad zullen inleveren. Ze hebben daar beneden genoeg om een heel leger te onderhouden."

Ik keek om. Een handvol mensen waren in de buurt blijven treuzelen en keken in mijn richting. Ik wendde vlug mijn blik af en ging naar de winkel. Ik vond het niet prettig wat ik had gehoord, maar ik kon het hen niet echt kwalijk nemen. Vader had hier en daar wat uitgedeeld aan een paar uitverkorenen terwijl de meerderheid bleef hongeren. Hij mocht niet verwachten dat hij de populairste kerel van de stad was. En nu was de situatie toch anders. De mensen zouden regelmatig te eten krijgen, wij inbegrepen. Het was niet nodig alles nog langer te hamsteren en ik beschouwde het als vanzelfsprekend dat hij alles bij de overheid zou inleveren.

Ik had het echter verkeerd voor. Zo gauw ik terug onder het dekzeil was, zei hij: "Die mensen daar hadden gelijk: je zou wel gek zijn ze te vertrouwen met dat eten."

Ik keek hem aan. "Enkelen hadden het daarnet over ons," zei ik. "Als we onze voedselvoorraad niet inleveren, verraden ze ons."

"Wie?" vroeg hij. "Wie gaat ons verraden? Wat voor baat zouden ze daarbij hebben?"

Ik haalde de schouders op. "Ze zouden er geen baat bij hebben, pa, ze zullen het doen uit afgunst. En zelfs als ze het niet doen, zijn die kerels nog niet van gisteren. Dit was een winkel. Ze zullen wel veronderstellen dat we een voorraad hebben liggen."

"Wel..." Hij rukte zijn hoofd in de richting van de kelder. "Daar beneden is een prima tweeloops jachtgeweer en jij hebt dat pistool. We hebben tot nu toe de wacht gehouden en daar zullen we mee doorgaan."

"Maar, vader!" riep ik. "We hebben de wacht gehouden tegen ongewapende mensen die ziek waren en zwak. Nu spreken we over soldaten. Als we die trachten tegen te houden, vermoorden ze ons."

"Goed," snauwde hij. "Dat is dan precies wat ze zullen moeten doen, want van mij zullen ze niets loskrijgen zolang ik leef!"

17

De volgende dag nam ik Ben mee om ons met z'n tweeën te laten registreren terwijl vader op de winkel lette. Het had die morgen gevroren en dat vond Ben best leuk. Er waren heel wat mensen op de been. De meesten gingen naar het stadhuis. Ben slalomde tussen hen door, op zoek naar ijsplekken om op te glijden.

Het merendeel van de mensen bleek mee te werken, ondanks het opstandige gemopper van de vorige dag, en ik maakte me vreselijk zorgen om vader.

Ik haastte me wat en zigzagde tussen die in lompen gehulde figuren door om Ben niet uit het oog te verliezen. Ik had mijn duffelcoat aan, met Charlies pistool in een van de zakken, voor alle zekerheid.

Toen we op het Marktplein kwamen, stond er een ontzaglijke rij voor de bureaus. Een APC was geparkeerd in het midden en drie of vier kerels in fall-out-pakken wandelden de sliert langs met machinepistolen om de mensen in de rij te houden.

Ik nam Ben bij de hand en sloot aan bij de staart van de rij. Hij trachtte zich vrij te maken. "Los!" snauwde hij. "Ik wil die tank zien!" Ik verstevigde mijn greep.

"Dat is geen tank," vertelde ik hem, "het is een APC."

"Wel, dan wil ik die APC zien," antwoordde hij vinnig. "Ik kruip erbovenop."

"Dat doe je niet! Zie je die man met dat geweer? Als die je in je eentje ziet rondlopen, knalt hij je neer."

"Dat doet hij verdikke niet!" Hij probeerde mijn vingers open te wringen met zijn vrije hand terwijl zijn gezicht rood aanliep. Ik gaf hem een ruk aan zijn arm.

"Hou op, Ben, wil je? Vader zei dat je bij mij moest blijven."

"Deed hij verdikke niet!" Dat was Bens geliefkoosde woord: verdikke. Hij vond dat het aardig vloekte.

"Deed hij wel. Dat heb jij niet gehoord." De rij schuifelde een metertje of zo vooruit. "We moeten in deze rij wachten, anders krijgen we niets te eten."

"Tuurlijk wel!" weerkaatste hij strijdlustig. "En wat dan met al die spullen beneden in onze..."

"Mond dicht!" Ik rukte hem bijna tegen de grond, de arme, kleine dwaas. "Auw!" Hij trapte tegen mijn schenen.

"Je trok bijna mijn arm uit, jij dikke blaaskaak!"

"Hela!" Ik keek heel erg streng. "Laat me je dat woord nooit meer horen zeggen. Vader slaat je halfdood als hij je hoort."

"Doet hij verdikke niet," snauwde hij. "De dikke blaaskaak."

Ik was van plan hem een lel te verkopen toen ik Kim zag. Ze was net het plein opgekomen en stond verslagen te kijken naar de rij, die nog langer was geworden sinds Ben en ik er waren bijgekomen. Ik wuifde en riep haar, in de hoop dat de wachtenden achter ons zouden denken dat we broer en zus of zo waren en haar ertussen zouden laten. Ze kreeg me in het oog en kwam naar ons toe.

"Je hebt er wel je tijd voor genomen," zei ik terwijl ik haar een duidelijke knipoog gaf. "Pa zei nog dat je meteen hierheen moest komen."

"Pa kan me gestolen worden." Ze was vlug van begrip. "Ik moest iemand zien." Ze maakte het zich gemakkelijk naast mij. Geen verontwaardigd gemopper achter ons.

"Wie ben jij?" snerpte Ben.

"Doe nou niet zo stom, Ben," zei ik. "Daar hebben we nu geen zin in."

"Ja, maar..."

"Hou op!" Ik vermorzelde zijn vingers.

"Wie...?"

Ik kneep nog harder. Zijn gezicht vertrok van de pijn en hij hield op, maar het was te laat.

"Wel, wie is zij dan?" vroeg een stem achter ons. "Kunnen we niet eerlijk aanschuiven, nee?"

Ik had Ben kunnen vermoorden. Ik draaide me om.

Het leek mijn geluksdagje wel. Het was een erg klein, mager mannetje met een scherp, stoppelig gezicht onder een gedeukte hoed. Er hing een druppel aan het puntje van zijn verkleumde, rode neus.

"Had mijnheer over mijn zus wat te klagen of te vragen?" rijmde ik. Hij bekeek me nerveus.

"Als ze je zus is, hoe komt het dan dat de kleine haar niet kent?"

"Ja!" viel een vrouw hem bij. Haar bracht ik met een woeste blik tot zwijgen en toen keek ik naar het kleine mannetje.

"Luister," siste ik. "Dat joch maakt grapjes, maar ik niet. Nog één kik van jou en ik bijt je neus af, begrepen?"

Hij bekeek me een ogenblik in stilte. "Niet eerlijk," mompelde hij.

"Wat is er?" gromde ik. Daar had hij geen antwoord op. Hij sloeg zijn ogen neer en ik keerde hem de rug toe.

"Je leert snel," zei Kim in mijn oor. Haar adem rook zoet en dat bracht me aan het tintelen.

"Wat loop jij hier eigenlijk te doen?" repliceerde ik. "Ik dacht dat jij dit als een valstrik of zo zou zien, zoals mijn vader." Ze haalde de schouders op.

"Daar zal ergens wel wat achter steken. Om te beginnen krijgen ze al onze namen, maar wat voor keuze heb je als er geen eten is?" Ze bekeek me scherp. "Waar is je vader, tussen haakjes?"

"Thuis." Ik hoopte dat ze het daarbij zou laten.

"De voorraad aan 't bewaken..." bromde ze. De rij schoof weer vooruit. Ik keek om me heen en stelde opgelucht vast dat niemand aandacht schonk aan ons gesprek.

"Ja," fluisterde ik. "Zijn idee, niet het mijne. Ik dacht anders dat jij dat wel zou goedkeuren. Je zei toch dat, als jij in Kershaw Farm zat, je zou vasthouden wat je had, weet je nog?"

"Dat is niet hetzelfde." Ze beet terug, luid en duidelijk.

"Ssst!" Ik kneep in haar arm. "Ze zullen je horen. Wat is er verschillend aan?"

"Hij is een van ons," siste ze. "Hij bedriegt zijn eigen mensen. Ik snap niet hoe jij hem kan verdedigen."

"Dat doe ik niet, maar jij zei dat we zo hard moesten zijn als zij en dat is wat hij aan het doen is: hard zijn."

"Hou op met me na te wauwelen! En kijk uit wat je doet." De mensen voor ons waren opgeschoven, zonder dat ik het had gemerkt. We maakten het gat dicht.

"Je bent niet logisch," zei ik haar. "Zoals alle vrouwen."

"En jij bent een seksistisch zwijn!" kaatste ze terug. "Zoals alle mannen."

"Ik wou dat jullie allebei je kop hielden," dreigde Ben. "Jullie klinken net als pa en ma."

Kim bekeek me en grinnikte. Ik tastte naar haar hand en kneep erin. We stonden daar als een gezinnetje in de rij voor een bioscoop.

18

De zwevers gaven ze gemerkte kaarten. Ook zij die door familie of vrienden mee werden genomen om zich te laten registreren. De anderen gingen helemaal niet en stierven toen het losse eten op raakte.

Je kan zo aan iemand merken dat hij een zwever is. Het doet er niet toe hoe gewoon ze zich trachten voor te doen, altijd is er iets: hun ogen of hun haar of de manier waarop ze bewegen. Zelfs hun kleren. Ik kan het niet uitleggen, maar je begrijpt wel wat ik bedoel.

De kerels van de bureaus ontdekten ze in ieder geval wel degelijk en merkten hun kaarten. Niemand had er toen weet van, maar een paar dagen later, toen iedereen samentroepte in Ramsdenpark met kommen en borden en lepels, waren er twee rijen.

Die rijen waren ongeveer een kwartmijl lang en het regende. Als sommige mensen de kop bereikten en hun kaart lieten zien, werden ze naar de andere rij gestuurd. Ze moesten terug naar de staart en konden helemaal opnieuw beginnen. Wij ook, Ben en ik. We hadden in de rij gestaan van de zwevers, maar dat had niemand ons verteld – niemand noemde het de rij van de zwevers. Ze sorteerden alleen de mensen bij de kop, zodat het niet opviel wat er gebeurde.

De rest is niet moeilijk te raden. Ze deden iets in het eten van de zwevers. Een dikke, bruine brij, dampend heet. We stonden hier en daar in de regen, schoven het in onze mond, al pratend. Er hing een beetje de sfeer van een feestje, die eerste keer, ondanks het weer. Het was heerlijk te weten dat er elke dag eten zou zijn zonder er in vuilnis voor te moeten rondsnuffelen. Het stikte er van de soldaten met machinepistolen die uitkeken naar barbaren. Dat was nog een nieuw woord: 'barbaren'. Het betekende iemand van buiten. Er waren van die bendes rondzwervende mensen van God weet waar, die af en toe kwamen aangewaaid, op zoek naar voedsel. Wilden waren het, van een onvoorstelbare boosaardigheid die hen onderscheidde van de plaatselijke bevolking. Het was voor hen dat je moest uitkijken als je ergens in je eentje naartoe trok. Iemand van de stad zou wel afdruipen als je hem een knuppel of zo liet zien, maar een barbaar niet. Barbaren waren het ergst, tot de purperen opdaagden.

Hoe dan ook, er waren daar soldaten en we voelden ons veilig. Het was prettig om te eten zonder er de hele tijd voor te moeten rondscharrelen als een mus in een kattenbak.

Een uur of drie, vier later begon het vergif te werken. Ik heb het zelf nooit gezien, maar ze zeiden dat het verschrikkelijk was. Ik hoorde een paar van die arme drommels schreeuwen en dat was genoeg.

De volgende dag gingen we niet. Het park moet halfleeg zijn geweest. Niet alleen ontbraken alle zwevers, maar een groot deel van de andere mensen bleven ook weg. Er kwamen er aardig wat naar ons om eten. Het is niet bijzonder grappig als je niet weet wat je aan het eten bent.

Ik hoorde er achteraf toch alles over, van Kim. Ze zei dat er weer twee rijen waren en het ergste waren de gezichten van de mensen als ze op hun kaarten tuurden en ze met elkaar vergeleken, in een poging om uit te maken welke rij wel veilig was. Als er al een veilig was. Een of twee van hen vroegen het zelfs aan de soldaten, die het een enorme grap vonden en tegenstrijdige antwoorden gaven: eerst wezen ze de ene rij aan voor de slacht, dan de andere. En desalniettemin aten de mensen, honderden en honderden. Daarna keerden ze naar huis terug, zwetend, wachtend tot de pijnen zouden beginnen. Het is verbazend waartoe je allemaal in staat bent als je honger hebt.

19

Het moet ongeveer een week later zijn geweest dat Ben vroeg: "Waar is mama?" Het was avond en we zaten onder het dekzeil. We waren juist klaar met eten. We waren nooit terug geweest naar Ramsdenpark na die eerste keer. Vader was dus niet zijn voorraad aan het hamsteren en tegelijkertijd rantsoenen aan het inpikken. Er waren geen soldaten in de buurt van de winkel verschenen en ik begon me wat geruster te voelen.

Pa keek een tijdje naar Ben zonder te antwoorden en toen naar mij. Ik kon merken dat hij van zijn stuk was gebracht. Het klonk net of ze zo'n tien minuten geleden was weggegaan en of hij haar nu pas had gemist. Ik trok mijn wenkbrauwen op, keek naar Ben en zei: "Ze kan niet meer bij ons zijn, Ben. Ze zou het niet prettig hebben gevonden op zo'n manier te leven."

Hij zat, met zijn handen tussen zijn knieën, te slingeren met zijn voeten in de zware laarzen. Hij staarde een ogenblik naar de grond en vroeg toen: "Is ze dood?"

"Ja." Ik verwachtte dat hij in tranen zou uitbarsten, maar dat deed hij niet. Hij zat daar maar naar de vloer te kijken, te zwaaien met zijn spillebeentjes, zodat de hakken van zijn laarzen telkens en telkens opnieuw tegen de poten van zijn stoel sloegen. Vader stond op en ging de vaat doen.

Zacht zei ik: "Wou je zien waar vader en ik haar hebben gelegd?"

Hij knikte, zonder op te kijken. "Mm. Gaan we nu?"

Ik wierp een blik op vader en die knikte. "Ja," zei ik, "we kunnen nu gaan als je wil. Het is aan de overkant van de straat."

Ik tilde hem over de toonbank en nam hem mee naar de overkant. Ik was er zelf niet meer geweest sinds we haar hadden begraven. Alles was nog hetzelfde, behalve dat er wat onkruid was gegroeid op het grafheuveltje van gele klei. De plantjes zagen zwart, verschrompeld door de vorst.

Ben staarde naar het heuveltje en ik vroeg me af wat er in zijn hoofd omging. Na een tijdje zei hij: "Is het net alsof je aan het slapen bent, Danny?"

"Ja," zei ik, "dat denk ik wel."

Daar dacht hij even over na. "Weet ze dat ik hier ben?"

"Wel, ja, Ben, ik denk dat ze dat weet."

"Kan ze ons horen praten?"

"Ja."

"Hoe kan dat, als ze slaapt?"

Hij had me te grazen. Ik had er niet zo snel een antwoord op. Vlug zei ik: "Dat weet ik niet, Ben. Dat weet niemand. Ik denk dat ze ons hoort, dat is alles."

"Wel..." Hij boog zich voorover over het graf en zei met een luidere stem: "Je zou het nu niet leuk vinden, mama. Het is afschuwelijk." Dat was de eerste keer dat hij te kennen gaf dat hij wel degelijk besefte in welke situatie we verzeild waren. Ik nam hem bij de hand.

"Kom nu, Ben," zei ik. "Het is bijna donker."

We draaiden ons al om toen een stem achter ons zei: "Hij die zijn broeder in de aarde plaatst, is overal." Ik draaide me met een ruk om en zag een oude man die een ezel leidde aan een eind touw. Ik was zo bezig geweest met de jongen, dat ik hem niet had horen komen. Hij hield halt. De ezel boog zijn kop en wachtte. "Sam Branwell," zei de man.

Ik kneep mijn ogen samen om zijn gelaatstrekken beter te kunnen zien. "Sam Branwell, de boer?"

"De pachter," verbeterde hij.

Ik kende zijn huis van onderweg naar school. Een klein veld achter een omheining langs de weg, met een paar kippenhokken en een schuurtje voor geiten. We noemden het de boerderij.

"Wat zei je daarnet?" vroeg ik. Ben staarde naar de ezel.

"Hij die zijn broeder in de aarde plaatst, is overal," zei de oude man weer. "Dat is een citaat." Ik haalde de schouders op.

"Ik begrijp het niet."

Hij knikte naar het graf. "Wie ligt daar?"

"Onze moeder," antwoordde ik.

"En jij hebt haar in de aarde een plaats gegeven. Dat wordt hier nu overal gedaan en dat is wat het citaat betekent." Zijn woorden klonken niet wijsneuzig of zo, alleen droevig.

"Ha..." Ik wist niets anders te verzinnen. Hij bekeek ons onderzoekend.

"Jullie zijn toch niet alleen, hé?"

"Wat zeg je?"

"Alleen. Jullie hebben iemand bij wie je woont, familie of zo?"

"O, ja." Ik keek naar de winkel aan de overkant. "Daar, vader."

Ik moest bijna huilen. Hij knikte. "Goed dan. Ik zou maar teruggaan als ik jullie was. Er zijn een paar purperen in de buurt."

"Purperen?" Het was de eerste keer dat ik het woord hoorde.

"O, jawel, een heel zootje. Blijf maar bij je vader tot morgenvroeg."

Hij gaf een ruk aan het touw en zei: "Vort!" En weg waren ze, met het geklepper van de hoeven op het bevroren asfalt. We keken ze achterna tot ze helemaal vervaagden. Toen staken we de weg over.

Purperen. Ik had er toen nog geen idee van wat het woord betekende. Anders waren we nog vlugger thuis geweest.

20

Een week zonder bijzondere gebeurtenissen had ons met een vals gevoel van veiligheid in slaap gewiegd. Ik was net terug van water halen toen de soldaten kwamen.

Het was niet zoals ik het mij had voorgesteld: overal soldaten die over de sneeuw aan kwamen sluipen, vader en ik op onze hurken achter de muur die hen op de vlucht schoten terwijl Ben veiligjes in de kelder lag...

Het was al donker. Ik reikte vader over het muurtje heen de emmer aan vader en hij droeg hem naar de kachel terwijl hij zijn geweer tegen de barricade liet leunen. Ze moeten op de loer hebben gelegen, want ik wipte nog maar net over de toonbank of ze kwamen al van alle kanten afgestormd.

Ik denk nooit dat ik hen had aangekund, zelfs niet als ik daar de kans toe had gehad. Ik werd van achteren vastgepakt en bliksemsnel waren ze over de toonbank. Ben zag hen komen en gilde, want ze zagen er angstaanjagend uit in hun fall-out-pakken, maar ze hadden vader te grazen voor die zich kon omdraaien.

"Oké," kraakte een stem in mijn oor. "Hou jullie rustig en kalm, en er zal jullie niets gebeuren." Het was net als op tv, behalve dat die kerel zijn arm om mijn keel had en ik bijna stikte. Hij gleed gemakkelijk over de toonbank, met mij in de ene hand en zijn geweer in de andere.

Twee soldaten hielden vader tegen de grond en zaten boven op hem, de anderen gingen meteen door naar de kelder. Een van hen schoof Ben zo ruw opzij, dat hij tegen de vlakte sloeg en daar huilend bleef liggen. Een vrachtwagen kwam de straat afgereden en hield bij ons halt. Een APC lag in de buurt op de loer met draaiende motor.

Een van de mannen, wellicht een sergeant, gaf bevelen en ze

vormden een menselijke ketting, gaven elkaar onze voorraad door van hand tot hand, terwijl er zo'n stuk of drie heen en weer renden om alles in de vrachtwagen te gooien. Er zat verdorie aardig wat spul beneden, maar ze roofden ons leeg in ongeveer twintig minuten terwijl ik bijna stikte onder de arm van die kerel en vader op de grond lag te vloeken.

Toen ze de klus hadden geklaard, zei de man die de leiding had iets door zijn microfoon. Ze tilden vader op en begonnen hem naar de vrachtwagen te dragen.

"Hela!" Ik wrong me in alle bochten om los te komen. "Laat hem met rust! Hij heeft jullie niets gedaan!"

De greep om mijn keel werd strakker en de kerel zei: "Jullie waren gewaarschuwd. Jou nemen we ook mee als er nog een woord over je lippen komt."

Ik spartelde wild tegen terwijl ze hem over de barricade duwden en hem ondanks zijn verzet achterop de vrachtwagen smeten. De arm van de soldaat zat als een stalen band om mijn keel gekneld en hij kneep tot ik bijna flauw viel. Toen alle anderen op de wagen zaten, kwakte hij me tegen de grond en sprong over de toonbank. Voor ik overeind kon krabbelen, was hij al in de APC geklauterd.

De vrachtwagen begon weg te rijden en de chauffeur van de APC gaf gas. Ik holde naar de barricade, half gek, schreeuwde uit alle macht de longen uit mijn lijf. De APC volgde in het spoor van de vrachtwagen en beide voertuigen schokten weg, de straat af.

Ik sprong over de toonbank en snelde ze achterna. Een dunne, blauwe sliert uitlaatgas dreef door de koude lucht en ik liep erdoorheen terwijl ik van ontzetting God weet wat riep.

Het voertuig versnelde en reed steeds verder van me weg. Toen ik al een eindje achter was, vloog de APC plotseling de lucht in.

Een verschrikkelijke knal. Mijn voeten werden onder me uit getrokken en ik smakte op mijn rug. Brokstukken vlogen overal in het rond en ik dook ineen, knelde mijn armen om mijn hoofd. De lucht zat vol stof. Ik meende stemmen te horen, maar toen ik mijn ogen probeerde te openen, deden ze pijn van het stof en kon ik niets zien. Ik trachtte op te staan terwijl de tranen over mijn gezicht liepen.

Ik zat op mijn knieën toen de tweede explosie volgde. Puin spatte op de grond en ik wierp mezelf in dekking. Het volgende wat tot me doordrong, was geroep en getrappel van voeten. Ik scharrelde overeind en wreef de tranen uit mijn ogen met mijn knokkels.

De APC lag op zijn zij te branden. Daarachter stond de vrachtwagen scheef op zijn kant. Mannen in voddenkleren zwermden eromheen. Iemand sleepte de chauffeur uit de kabine.

Ik stond erbij te gapen. Mijn hoofd tolde en ik voelde me misselijk. Er zaten mannen bovenop de vrachtwagen onze spullen naar anderen te gooien, die ermee tussen de ruïnes verdwenen. Een vent bovenop een hoop puin schreeuwde: "Schiet op!" Het was Rhodes, onze gymleraar op school.

Ik dacht weer aan vader en krijste het uit terwijl ik op de vrachtwagen toeliep. Ik was ter hoogte van de APC toen Rhodes brulde: "Halt daar!" Hij kwam op me af.

"Wat ben je van plan, Lodge?" snauwde hij. Hij droeg een machinepistool om zijn nek in plaats van zijn fluitje van anders. Hij had zelfs zijn kastanjebruine trainingspak aan. Hij had me nooit gemogen.

"Mijn vader, mijnheer!" hijgde ik. "Hij zit in de vrachtwagen." Hij schudde het hoofd.

"Niet meer, jochie. Je kan nu niets meer voor hem doen."

Ik gaapte hem aan en schudde het hoofd. Ik was niet in staat te begrijpen wat hij vertelde.

"Vooruit, kleine, hoepel op." Hij zei het alsof hij me in de kleedkamer zag staan treuzelen. Ik bewoog geen vin. Het was een van die nachtmerries waarin je verwikkeld zit. Je wil wel weglopen, maar je benen weigeren dienst. Hij hief zijn wapen al op. Een gestalte dook op uit de ruïnes, met een ezel aan de lijn. "In orde, Rhodes, ik neem het nu wel over."

21

Het was Branwell, de man die met ons gesproken had bij moeders graf. Hij kwam dichterbij. "Hier, pak aan." Hij hield Rhodes de teugels voor. Ik hoorde aan de manier waarop hij sprak dat hij razend op hem was. Rhodes nam de teugels over en Branwell zei: "Laad alles op. Alleen voedsel. Verstop de rest. En haast je, die vrachtwagen is al over tijd."

Rhodes leidde het dier weg en de oude man keek naar me. "Het spijt me," zei hij. "Het is een verduiveld knappe soldaat, die Rhodes, maar niet meteen wat je gevoelig noemt. Wat scheelt er eigenlijk?"

Ik vertelde hem van vader. "O, God!" riep hij uit. "Die man is meedogenloos. Hij moet hebben geweten dat ze een gevangene hadden... Waarom gelastte hij de hele zaak verdomme niet af?" Hij staarde Rhodes achterna. "Wat heeft hij tegen je gezegd?"

Ik haalde de schouders op. "Hij vertelde het me gewoon en zei toen dat ik moest ophoepelen."

"Christus!" Hij leek echt geschokt. Na een tijdje zei hij: "Wel, je kan niet blijven waar je bent. Als ze dat zaakje hier te weten komen, zullen ze iemand zoeken om de schuld te geven. Je zou natuurlijk kunnen verhuizen, maar ik denk dat het het best zou zijn als jullie tweeën bij ons kwamen."

"Ons?" zei ik en mijn stem trilde. "Wie zijn jullie? Waarom bliezen jullie die... "

"Ach!" Hij klopte me op de schouder. "Daar hebben we geen tijd voor, jongen, nu toch niet. Haal je broer uit de winkel weg. Nu onmiddellijk. Verstop je in de ruïnes, tot het donker is. Dan, als alles wat rustiger is geworden, kom je naar mijn huis en zullen we voor je zorgen. Afgesproken?"

"Ik... weet niet." Alles had zich zo vlug afgespeeld, dat er geen tijd was geweest om na te denken. Vader weg. Ons huis en al onze spullen. Bang bang bang! Kom weer bij je positieven en doe net alsof er niets is gebeurd. Zwevers, wij allemaal. Ik schudde het hoofd en zei: "Ik weet het niet, mijnheer Branwell. Ik weet zelfs niet of ik eigenlijk wel verder kan. Waarom al die moeite, als alles zo... smerig is?"

Zijn ogen boorden zich strak in de mijne. De ogen van een hypnotiseur. "Alles?"

"Ja!" riep ik. "Alles! Altijd kou en honger. Mensen die ziek worden en iedereen die iedereen om zeep tracht te helpen. Ik ben het kotsbeu."

Bleke ogen die je blik gevangen houden. "Een klein kind te midden van dit alles, nog bezield met verwondering. Soms lacht het zelfs nog. Smerig?"

"Ik heb die flauwekul niet nodig!" Vastgepind door die blik.

"Iemand," zei hij, "van wie de klank van haar naam alleen al je vanbinnen doet smelten... Voor wie je zou vechten tegen wel honderd barbaren en nog winnen ook."

"Stop daarmee."

"Je denkt nu aan haar," zei hij zonder medelijden. "Precies op dit ogenblik. Je ziet haar gezicht en er verandert wat in jou. Zeg op." Zijn ogen boorden zich in de mijne. "Is het gevoel dat je hebt er een van smerigheid?"

"Laat haar hier buiten, mijnheer!" beet ik. "U probeert me in de maling te nemen."

"Dat hebben ze niet kapot gekregen, hé?" fluisterde hij. "Met hun bommen en met hun honger en met hun kou. Dat hebben ze niet kapot gekregen."

"Laat me met rust," zei ik, "oké?"

"Zoals je wil." Hij keek even opzij. Een paar mannen waren de ezel aan het laden. Enkele toeschouwers hadden zich verzameld en Rhodes hield hen in de gaten vanaf de top van een hoop puin. "Ik zal je met rust laten. Maar haal dat broertje van jou weg uit de winkel. En als je bij ons wil komen, je weet waar ik woon." Hij begon weg te wandelen, hield toen halt en keek om. "Zij is een van ons, weet je," zei hij zachtjes, "jouw Kim."

22

We vertrokken uit de winkel met het weinige dat de soldaten ons hadden gelaten, wat kleren en zo. Charlies pistool zat in mijn zak en ik droeg een plastic zak met onze reserveschoenen erin.

Ik las ooit een boek over een jongen in Amerika, die altijd en overal van school wordt gestuurd. Een keer loopt hij van zo'n school weg en kijkt achterom, in de hoop iets te voelen van een afscheid, maar hij voelt helemaal niets. Het weggaan uit de winkel was ook zo. Ik bedoel, je verwacht dat je wat zou voelen als je het huis verlaat waarin je bent opgegroeid, maar ik voelde niets. Ik denk dat iedereen slechts een bepaalde hoeveelheid emotie in zich heeft en meer niet. Als die is opgebruikt, kan niets je nog schelen. Ik veronderstelde tenminste dat ik iets hoorde te voelen en dat deed me aan dat boek denken.

Het was aardedonker en drommels koud. Ik had geen vast plan, alleen maar wegwezen en misschien ergens iets warms vinden.

De grond zat onder de sneeuw en we lieten sporen achter. We stapten in de voetsporen van andere mensen, gingen af en toe links of rechts een huis binnen en aan de andere kant er weer uit, voor het geval ze ons wilden achtervolgen. Na een tijdje vonden we een kamer met plastic voor het raam en een paar stukken tapijt om op te zitten. We zaten met onze rug tegen de muur. Ik haalde het wapen boven en hield de deur in het oog, die nog net zichtbaar was in het duister. Ik had Ben over vader moeten vertellen en hij zat een beetje te huilen.

Er gebeurde een hele poos niets en ik had tijd om na te denken. Met vader dood en de soldaten achter ons aan zag de toekomst er niet rooskleurig uit. Voedsel zou wel het dringendste probleem worden. Als we ons lieten zien in Ramsdenpark, hadden ze ons te pakken. Ze hadden van overal alles wat eetbaar was bij elkaar gezocht en er bleef nog bitter weinig over voor iemand zonder kaart.

En dan nog warmte en onderdak. We konden niet buiten leven en zelfs niet in onverwarmde kamers als deze. We zouden vuur nodig hebben en ze hadden al het hout ook meegenomen, zelfs meubels en deuren. Er was een brandstofrantsoen, maar als wij dat probeerden af te halen, zouden we worden opgepakt.

Bescherming was nog zoiets. Het merendeel van de stadsbewoners kreeg rantsoenen, maar de omgeving zat vol radeloze mensen van buiten die je de schedel zouden inslaan voor een paar schoenen of voor een koekje. Wat voor kans hadden wij, twee kinderen met een wapen dat we nog nooit hadden gebruikt?

Het duurde niet lang voor ik inzag dat we geen keuze hadden. Ik dacht er niet over om aan te sluiten bij iets waar Rhodes in zat, maar we zouden naar Branwell toe moeten. Misschien zou die oude kerel hem wel van me vandaan houden.

Zo was ik maar aan het piekeren toen Ben ineens met een waterig stemmetje zei: "Danny, ik denk dat ik een vrachtwagen hoor."

We zaten halfbevroren te luisteren terwijl de vrachtwagen grommend de heuvel afkwam. Ik hoorde hem aan de rand van de stad schakelen, vervolgens reed hij door de stille straten, het geluid van zijn motor werd af en toe gedempt door de muren ertussen. Een pauze van stilte, gevolgd door het slaan van een portier en het snerpen van een fluit. Een beeld dook voor me op, uit een boek van Lowry: kleine, donkere schimmen in een bleke stad.

Schoten. Een kort salvo en twee afzonderlijke. Schoten op schimmen, dacht ik, of op een of andere onschuldige zondebok. Op mijzelf, verkleumd vanaf mijn middel als iemand met een gebroken ruggengraat, en Ben, die zachtjes opzij zakte in zijn slaap – misschien wel de slaap van de noordpool, waaruit je niet meer ontwaakt.

Later weer die motor. Ben was bewusteloos door het vriesweer. De verlamming lag al op de loer op een duimbreed onder mijn hart: een paar centimetertjes hoger en... Ik bleef mijn oren spitsen. Spoedig kroop de vrachtwagen weer de heuvel op, versnelling na versnelling, als de sporten van een ladder.

Het kostte me een hele tijd om in beweging te komen en toen ik daar eindelijk in slaagde, kreeg ik Ben niet wakker. Hij mompelde wat en liet zich maar hangen, en zelfs toen ik hem heftig schudde, deed hij zijn ogen maar half open.

Ik moest hem dragen. Ik sukkelde dat huis uit op mijn bevroren benen, de zak in een hand en Ben over mijn schouders. Ik weet niet hoe lang ik erover deed om bij Branwell te komen of hoe ik daar eigenlijk in slaagde, maar na wat me een eeuwigheid leek, keek ik op en daar was het huis met een licht achter het raam.

Lieve Ben. Hij vermoordde me verdomme bijna die nacht, slapend als een blok lood op mijn schouder. Ik wou dat hij daar nu ook op lag te slapen.

23

Toen Branwell de deur opendeed, viel ik bijna naar binnen. Hij ving me op, duwde me tegen de muur en nam Ben van me over. "Goeie jongen," knorde hij. "Ik begon al te denken dat ze je te pakken hadden. Ga naar binnen." Hij knikte in de richting van een gang van waaruit licht scheen op de kale planken van het portaal. Ik ging naar binnen terwijl hij de buitendeur sloot en de slapende Ben wegdroeg.

De kamer was een grote troep, maar het was het beste huis waar ik in was geweest sinds de bom. Het raamwerk en de plinten waren verschroeid en de vloerbedekking zat overal los. Er stond een tafel met een petroleumlamp en wat bekers erop, een paar harde stoelen en een boekenkast met een ingeslagen ruit. Plastic was voor de vensters gespijkerd en een houtvuur flakkerde in de haard.

Ik liep op het vuur toe en hield mijn handen in de warmte. Na een paar minuten kwam Branwell binnen. "Goed zo," zei hij. "Warm je maar wat op. Hoe ver heb je je broer gedragen?"

Ik haalde de schouders op. "Geen idee. Wat heb je met Ben gedaan?"

"Ik heb hem in bed gestopt en daar ligt hij lekker, wees maar gerust. Welkom bij Masada."

"Wat zegt u?" Ik had mijn warme handen op mijn bevroren oren gedrukt en hoorde niet zo best.

"Masada." Hij glimlachte. "Zo noemen we onszelf. Het is de afkorting van Menslievende Actie in Skipley als Antwoord op de Dictatoriale Autoriteit. Thee?"

"Wat?" Ik was nog half verkleumd en niet op mijn best.

Hij glimlachte weer. "Had je graag wat thee?"

"O, ja," zei ik, "alsjeblieft."

"Trek die natte jas dan uit en ga zitten." Hij wuifde naar een stoel. Ik liet mijn jas op de vloer vallen en ging zitten. De oude man wikkelde een doek om zijn hand, nam een zwartberookte ketel van het vuur en goot water in twee bekers. Hij haalde theebuiltjes te voorschijn en duwde ze met een lepeltje onder, tot de lucht eruit borrelde.

"Poedermelk, vrees ik. Suiker?" Ik knikte. Hij zette de ketel weer neer tussen de vlammen en nam een blik van bovenop de boekenkast. Hij schepte suiker in de bekers, roerde even en viste de builtjes eruit.

We zaten met onze handen om de bekers. De doorweekte builtjes lagen op de tafel te dampen. Ik vroeg: "Waar is Kim?"

De oude man gniffelde. "Het spijt me, beste jongen, maar eigenlijk woont ze hier niet. Ze komt overdag een handje helpen. Dat doen nogal veel mensen."

"O..." Ik zat in de vlammen te staren, me af te vragen of hij me met opzet wat had wijsgemaakt. Waarschijnlijk niet. Na een tijdje zei ik: "De mensen die ik zag, Rhodes en die anderen, wonen die hier?"

"De meesten." Hij nipte aan zijn thee. "Hier in huis of op het erf. We hebben een paar barakken op het grasveld. O, en dan zijn er nog altijd twee of drie om de fabriek te bewaken."

"Fabriek?"

"Ja. Aan de overkant. Daar maakten ze vroeger speelgoed."

Ik knikte. "Ik kwam hier altijd voorbij als ik naar school ging. Wat zit er nu in?"

Hij stond op en zette zijn beker op tafel. "Magazijnen," zei hij, "en een atelier. We bereiden ons voor."

"Waarop?"

Hij begon de kamer rond te lopen met zijn handen in zijn zakken en zijn schoenen schuifelden deeltjes verkoold vloerkleed omhoog.

"Voor een gevecht, helaas," zuchtte hij. "Al zou je wel denken dat we van dat soort dingen de buik vol hadden, niet?"

Ik schokte met mijn schouders. "Ik weet niet. Ga je tegen de soldaten vechten?"

Hij knikte. "Dat is onvermijdelijk, vrees ik. Zie je, onze commissaris en zijn mensen hebben uit de hele toestand hier niets geleerd. Ze zouden daar buiten moeten zijn, eten en onderdak en medische hulp verschaffen aan elke arme sukkelaar die ze tegenkomen. Proberen het leven enigszins tot normale proporties te herleiden, hoe hopeloos dat ook mag zijn. Dat was de theorie toen deze zielige commissarissen werden aangesteld. In plaats daarvan zijn ze bezig met wat de eerste de beste bende zou doen die zichzelf behaaglijk weet te midden van de chaos. Ze zitten daar bij Kershaw Farm plannetjes uit te broeden over hoe ze dat privilege kunnen behouden. Het is de aard van de mens. Vermoedelijk zullen ze proberen een soort feodale maatschappij op te richten, met de soldaten in hun fort op de heuvel, en het boerenvolk – dat zijn wij dan – maar wroeten om ze de kost te geven. En zodra dat boeltje gesmeerd loopt, zullen ze strooptochten gaan maken, tot de tanden gewapend zoals de ridders uit de burchten, op zoek naar andere gemeenschappen om te plunderen en te moorden. Ze hebben geen eerbied voor het leven, zelfs nu niet. Het zijn zo goed als pre-Neanderthalers."

Ik bekeek hem.

"Wat wil je daarmee zeggen?"

"Wel, de Neanderthalers waren de eerste wezens met menselijke gevoelens. Ze droegen zorg voor hun zieken en begroeven hun doden met bloemen. Pre-Neanderthalers lieten hun zieken in de steek en aten hun doden op. De natuur maakte hen beestachtig omdat alleen beesten konden overleven in de wrede wereld van toen. En wanneer wij, duizenden jaren later, wapens begonnen te ontwikkelen voor een massale vernietiging, zag de natuur wat er ging komen en begon weer beesten van ons te maken, opdat we zouden kunnen overleven in een verwoeste wereld."

"Hoe maakte die weer beesten van ons?" vroeg ik.

"We bekeken dood en vernietiging in de tv-journalen tot die niets meer voor ons betekenden, tot die ons niet meer schokten. Als we op tijd hadden beseft wat er met ons gaande was, als we ons hadden vastgeklampt aan onze eerbied voor het leven, dan hadden we nooit die raketten gelanceerd. Zo denk ik er tenminste over."

"Kunnen we het gevecht winnen?" vroeg ik.

Hij nam de lege beker uit mijn hand en zette hem op tafel.

"Dat moet," zei hij. "Want als we niet winnen, begint alles van voren af aan. Grotere en grotere wapens, groter en groter, totdat hun kracht elk menselijk begrip te boven gaat en dan ontketenen we ze, of ze ontketenen zichzelf."

Pre-Neanderthal. Dat woord bleef in mijn hoofd hameren. Pre-Neanderthal.

We bleven nog een tijdje op, kijkend hoe het vuur wegzonk. Hij zei lange tijd geen woord. Hij wist dat hij me stof tot nadenken had gegeven en hij liet me dat rustig doen.

Ten slotte zei hij: "Kom, jongen, tijd om te gaan slapen." Hij nam de lamp en leidde me het portaal door naar een kamer met ongeveer tien bedden. Ze waren allemaal bezet behalve één en daar zat ik op, half in slaap, terwijl hij me mijn laarzen hielp uittrekken. Toen ging hij weg met de lamp en trok ik de ruwe dekens over me heen. Ik verzonk meteen in een droom waarin ik als een aapmens door een troosteloos landschap sjokte met een knots in mijn hand.

24

Het was nog donker toen ik wakker werd. In de overbevolkte kamer wrongen mannen zich met veel geknor en gevloek in hun kleren. Ik bleef stil liggen en vroeg me af of ik werd verondersteld me bij hen te voegen. Niemand kwam me wakker schudden of riep wat. In feite leken ze alle moeite van de wereld te doen om zo stil mogelijk te zijn. Ik bleef liggen met gesloten ogen en de deken over mijn oren tot ze de kamer verlieten.

Toen ze weg waren, trachtte ik weer in te slapen, maar dat lukte niet. Mijn lichaam voelde warm en zwaar aan, maar mijn gedachten raasden als gek door mijn hoofd. Uiteindelijk gaf ik het op en kwam uit bed.

Iemand had een van mijn laarzen een eind verder getrapt, maar er scheen nu genoeg licht door het groezelige plastic voor het raam om hem gemakkelijk weer te vinden.

Ik liep door de gang naar de kamer waar ik de vorige avond had gezeten. Ik verwachtte die vol mannen, maar dat was niet het geval. Alleen de oude Branwell zat er. Hij lichtte net een grote pan water van het vuur. Hij keek om.

"Ha, goeiemorgen, Danny. Lekker geslapen?" Hij goot ondertussen het water in een grote plastic kom.

"Ja, dank je," zei ik. "Raar om weer in een echte kamer te slapen."

Hij lachte instemmend en stapelde bekers en borden in de dampende kom.

"Hebben de mannen je niet gestoord?"

"Nee." Ik keek rond. "Waar zijn ze?"

"Weg." Hij spoot wat afwasmiddel in het water, klopte er met een doek schuim in en begon vlug de bekers af te wassen. Hij draaide de vaatdoek er even in rond en plaatste ze toen ondersteboven op tafel.

"Waarheen?" vroeg ik.

"O, naar hun verschillende karweitjes. Een man moet hier in Masada bereid zijn om zowat alles te doen. Een vrouw ook, natuurlijk."

Ik vroeg me af of dat een stille wenk was en vroeg: "Zal ik die even voor je afdrogen?"

"Jawel, jongen, daar hangt een doek." Het was er dus een geweest. Ik bloosde, haakte de droogdoek van zijn spijker en ging naast hem het warme aardewerk drogen en opstapelen op een schoon deel van de tafel.

"Wat voor karweitjes?" drong ik aan.

De oude man legde een handvol bestek voor me neer. "Welnu, laat me eens kijken. Deze morgen zijn de meesten van hen bezig met lijken begraven."

"Lijken?" Ik bekeek hem van opzij.

"Lijken. De stad ligt er vol van. Deze tijd van het jaar is het nog niet zo erg, maar als we ze laten liggen tot het beter weer wordt..." Hij haalde de schouders op. "Weet je... ziektes. Epidemieën, misschien. Geen prettig werkje, maar het moet worden gedaan."

"Maar hoe? Er zijn er honderden. Duizenden. Het zal jaren duren."

"Zonder de gepaste uitrusting, ja. Natuurlijk is het in feite de taak van die kerels in Kershaw Farm. Die hebben graafmachines. Maar ach, wij kunnen alleen ons best doen. Met beetjes tegelijk, weet je."

Ik knikte. "Wat doen jullie nog meer?"

Hij viste de laatste lepel uit het sop en grabbelde een hoek van mijn droogdoek vast om zijn handen aan af te vegen. "Enkele mannen zijn naar de fabriek. We hebben een wagen of twee en die maken we in orde, zodat ze klaar zijn als we ze nodig hebben. Dan zijn er de schildwachten daar en een paar hier op het dak. Twee verpleegsters van dienst in de hospitaalbarak en de rest buiten op zoek naar proviand en onderdelen van auto's, zo van die dingen."

"Wauw!" zei ik. "Dat gebeurt allemaal en niemand die er wat van afweet! Waar is de hospitaalbarak?"

Hij wees met zijn hoofd in de richting van het grasveld.

"Een van die barakken daar. Veel mensen die zich bij ons voegden, werden ziek. Geleidelijke dosissen. Niets aan te doen."

"Geleidelijke dosissen?"

"Ja. Heel wat plaatsen hier in de buurt zijn radioactief. Door rond te lopen stapelen de mensen straling op in hun lichaam tot ze eraan sterven. Of het ondermijnt hun weerstand tegen ziekten en ze sterven aan iets anders."

Ik huiverde. "Hoe weet je dat we niet allemaal straling opstapelen?"

Hij haalde de schouders op. "Dat weet ik niet. Niemand weet het. Het is best mogelijk dat er over een paar jaar geen mens meer rondloopt in Engeland, of zelfs over de hele wereld. We gaan door en blijven hopen, dat is alles. Bonen en koffie als ontbijt, tussen haakjes."

Terwijl ik at, verliet hij de kamer en kwam terug met Ben in zijn armen. Hij wreef met zijn knokkels in zijn ogen en staarde verdwaasd om zich heen, zich afvragend waar hij was. Branwell zette hem op een stoel en schotelde hem een bord bonen voor. Hij keek over de tafel naar mij. "Waar zijn we hier, Danny?" mompelde hij, nog half in zijn slaap. "Ik wil naar huis."

Ik lepelde mijn laatste bonen naar binnen. "Dit is ons huis nu, Ben," zei ik met volle mond. "Als mijnheer Branwell ons wil hebben, tenminste." Die gedachte gaf me een onverwachte, euforische opkikker.

De oude man streek Ben door het haar. "Natuurlijk wil hij dat, kleintje. Wat is een huis zonder kinderen, hé?"

Toen Ben klaar was met eten, zei Branwell: "Nu dan, jullie sliepen de hele nacht in die kleren en al vele nachten daarvoor, zo te zien. Dus het volgende is een grondige wasbeurt en een verandering van kleren. O, jawel!" Hij had mijn gezicht gezien.

"Wij zijn hier behoorlijk georganiseerd, jongen: een stortbad, alsjeblieft, en kleding voor alle maten. Volg maar."

Ik nam Ben bij de hand en de oude man leidde ons helemaal de gang door, langs een vroegere keuken en dan naar buiten het erf op. Het was de eerste keer dat ik het terugzag na de kernbommen en het was volkomen veranderd. De geitenstal was verdwenen en die lange barakken namen nu het grootste gedeelte van de ruimte in beslag. De kleine eendenvijver was een met sneeuw gevulde put en de spichtige vlieren waar kippen onder hadden gescharreld, zouden nooit meer bladeren dragen. Een geteerd bijgebouwtje stond nog tegen de huismuur aangeleund. Daar was het dat Branwell ons heen bracht.

Het was aardig donker binnen. We stonden in de deuropening te turen tot onze pupillen zich hadden aangepast en we een eigenaardig bouwsel konden ontwaren, dat haast het hele schuurtje vulde. Het was een soort kist op hoge, houten poten met dwarslatten kruiselings op die poten gespijkerd. Het deed me denken aan een van die wachttorens uit films over gevangenissen of oorlogen. Op de grond tussen de poten lagen twee voetroostertjes die eruitzagen als vlotjes.

"Wat is dat voor iets, verdorie?" vroeg ik. Branwell gniffelde.

"Dat is het stortbad," zei hij. "We zijn er erg trots op. Kijk." Er stond een oude zaagbok tegen de muur. Hij sleepte die dichterbij, ging erop staan en verwijderde een zijkant van de kist. Er zat een tweede kist binnenin. In de ruimte tussen de twee kisten brandde een veiligheidslantaarn. Hij zette de zijkant weer op zijn plaats en kwam naar beneden.

"De binnenste kist is van zink," zei hij, "en die is gevuld met water. De buitenste kist is van hout, met een isolatie van poetskatoen en plastic en al wat we maar konden vinden. Daartussenin branden aan alle vier de zijden lantaarns met spiritus. Het water wordt lekker warm gedurende de nacht."

Mijn eigen spirit begon net op te flakkeren, toen hij eraan toevoegde: "Natuurlijk werd dat water opgebruikt door de anderen. Maar de lampen zullen toch reeds de grootste kou uit het verse water hebben gehaald."

Als dat al zo was, merkte ik er niets van. Ik trok aan een vroegere wc-ketting en het water sproeide op me neer als vloeibaar ijs. Ik snakte naar adem en dook er vanonder weg, met Ben gillend op mijn hielen. De oude man lachte, zei dat we er wel aan zouden wennen en gaf me een stijve borstel en een klomp korrelige zeep. "Schrob elkaar," zei hij, "en zeep je haar in. Dit hier zal ik even wegbergen en ik haal wat schone spullen." Hij ging naar buiten met onze stinkende kleren en liet zo een ijzige tocht binnen.

Ik zal er maar over ophouden. Het was verdomd koud en we raakten er helemaal niet aan gewend. Toch speelden we het klaar en hij kwam terug met ruwe handdoeken. In een mum van tijd waren we schoon en droog en netjes gekleed voor de eerste keer sinds God weet hoe lang. Het deed zo'n deugd dat ik wel had kunnen janken.

25

Branwell liet me zien hoe je de watertank met emmers moest bijvullen en ik bracht de rest van die dag door met houthakken. Er lagen wel duizenden houtblokken opgestapeld in de hoek tussen het schuurtje en het huis. Branwell gaf me een bijl en wees me de stronk waarop ze kapten.

"Splijt ze flink dunnetjes," zei hij, "dan ontbranden ze gemakkelijk. We steken ze aan met papier en papier is schaars aan het worden. Deze jongeman kan me binnen een handje helpen." Hij ging weg en nam Ben aan zijn hand mee.

Ik was zo intens bezig met die zware bijl te zwaaien, dat ik de kou niet voelde. Ik was zo blij dat ik dat oude Amerikaanse werkliedje zong dat ik kende van een oude plaat van vader: 'Take This Hammer'. Het is bedoeld om gezongen te worden bij het kappen van stenen, maar het paste ook bij het houthakken. Het zingen en het zwaaien werden automatisch en mijn gedachten hadden de vrije loop.

Ik dacht na over wat Branwell de vorige avond had gezegd, dat we ten slotte zouden moeten vechten. Ik vroeg me af waarom mensen vechten. Die commissaris zat daar in Kershaw Farm en hier waren wij. We vielen elkaar niet lastig, voor zover ik kon merken. Waarom konden zij niet leven op de manier die zij wilden en lieten ze ons niet leven op onze manier?

Ik dacht hier een tijdje over na terwijl de stapel stokjes naast de stronk alsmaar hoger werd. Ik zag in dat het net zo was als met de landen voor de kernbommen. Het ene leefde zus, het andere zo. Maar in plaats van het daarbij te laten, maakten ze ruzie. Ze dreigden en fabriceerden verschrikkelijke wapens. Uiteindelijk schoten ze die wapens op elkaar af en nu was ons leven onherroepelijk veranderd. Wedden dat het hunne ook niet meer hetzelfde was?

Miljoenen mensen dood en alles veel erger voor hen die het hadden overleefd. Krankzinnig.

Tegen de middag ging de deur van een van de lange barakken open en één vrouw in jeans en een sweater kwam naar buiten met een blikken dienblad. Toen ze dichterbij kwam, zei ze: "Hé, hou jij dan nooit op?"

Ik plantte mijn bijl in de stronk, grinnikte en veegde mijn voorhoofd af met de rug van mijn hand. "Ik hou me warm," zei ik.

Ze lachte. "Goed zo. Hoe heet je?"

"Danny. Danny Lodge."

"Ik heet Kate. Ik ben verpleegster. Kom je wat eten?"

"Graag. Is er iets?"

Ze knikte. "O, zeker. Mijnheer Branwell brengt het grootste deel van zijn tijd door met eten maken. Er is altijd wat voor de patiënten en voor iedereen die in de buurt is."

Ik glimlachte. "Het lijkt wel de hemel hier." Kate schudde het hoofd. "De hemel hadden we," zei ze, "vroeger. We hebben hem opgeblazen. Nu hebben we wat we verdienen. Kom mee."

Ik liep met haar het huis binnen.

Op het vuur stond de grote pan waarin Branwell die morgen het water had gewarmd. Nu pruttelde er hutspot in. Het rook lekker. Ben stond erin te roeren met een lange, houten lepel. Hij keek om toen we binnen kwamen.

"Kijk!" kraaide hij. "Dat heb ik gemaakt." Hij lepelde er een hoop van omhoog en liet die terug in de pan vallen.

Kate zette grote ogen op: "Ziet er lekker uit. Hoe oud ben je?"

Hij straalde. "Zeven."

"Zeven?" riep Kate. "Lieve hemel! Ik kon zo niet koken toen ik zeven was. Hoe heet je?"

"Ben."

"Wel, Ben, mag ik van jouw hutspot proeven?"

"Ja." Blozend van blijdschap. De verpleegster keek naar mij.

"Kwam hij mee met jou?" Ik knikte.

"Hij is mijn broer. Onze ouders zijn dood."

"Ah... Wel, hier zullen jullie het prima hebben."

Branwell kwam naar binnen. We bedienden ons en zaten om de tafel. Kate en ik smakten met onze lippen om Ben een plezier te doen. Nadien laadde Kate haar dienblad vol borden met hutspot. Ik stond op.

"Hier, laat mij dat voor je dragen."

"In orde," lachte ze, "bedankt."

Ik nam het dienblad op en ze leidde me de gang door naar buiten. Er was wind opgestoken met af en toe wat vlagen sneeuw. Kate deed de deur van de barak open en draaide zich om met haar armen uitgestrekt naar het dienblad. "Ik zal het wel binnenbrengen," zei ik.

"Nee." De lach verdween van haar gezicht. "Nee, dat zal je niet."

"Waarom niet?"

Ze bekeek me ernstig. "Heb je al eens iemand gezien met een geleidelijke dosis?" Ik schudde van nee. "Ik heb er wel al dood gezien en verbrand. Kan niet erger zijn dan dat."

"Kan dat niet?" Haar ogen flitsten op, werden droevig. "Een van deze dagen laat ik het je wel eens zien, Danny, maar niet vandaag. Geef mij het eten voor het afkoelt met die wind."

Ik gaf het haar en zij ging ermee door de deuropening. Ik zag een glimp van een andere vrouw bij de deur, toen zwaaide de deur dicht. Ik haalde de schouders op en keerde naar mijn bijl terug.

De wind werd steeds heviger en de sneeuwvlokken dwarrelden om mij heen, maar ik hakte gestadig verder, zingend in mezelf, tot het donker begon te worden. Bij het invallen van de duisternis keerden groepjes van twee of drie mensen terug. Sommigen kwamen met lege handen, anderen hadden pakken of emmers bij zich of hun zakken puilden uit. De sneeuw had hun kleren wit gemaakt. Ze liepen met hun hoofd naar beneden, hun handen in hun zakken. Als ze de bijl hoorden, tuurden ze in mijn richting en een of twee kwamen naar de hoek om wat beter te kunnen kijken. Ik had besloten nog een blok af te werken en er dan mee op te houden, toen ik Rhodes zag. Hij stond bij de hoek van het huis naar mij te kijken. Hij kwam dichterbij.

"Het sneeuwt, Lodge," zei hij.

Ik knikte en zwaaide de bijl. "Weet ik." Ik zei bijna 'mijnheer'. Waarom zou hij dat 'mijnheer' krijgen, als niemand anders het zei? "Er staat een huis achter jou, jochie." Hij hield van sarcasme. Er waren jongens op school die hem grappig vonden, maar ik had hem daar nooit om gemogen. "Het sneeuwt niet in huizen," ging hij verder. "Kom maar eens binnen kijken."

"Ik werk dit blok nog af."

Hij giechelde. "Dan zal ik maar niet wachten. Jij lijkt nog altijd zo sloom als vroeger."

Woede flakkerde in mij op. "Niemand vroeg jou om te wachten."

"Wat?" zei hij scherp. Ik wrong aan de bijl in het gebarsten blok en keek hem van opzij aan.

"Ik zei dat niemand jou vroeg om te wachten."

"Nu moet jij eens goed luisteren!" Hij zette een stap dichterbij. "Ik weet niet waarom Branwell jou hier bracht, maar omdat hij dat nu eenmaal heeft gedaan, kun je beter weten waar je aan toe bent." Hij kwam met zijn gezicht vlak voor het mijne. "Ik mag jou niet, Lodge, nooit gemogen. Je bent een prul in alle sporten en voor de rest ook niet zo schitterend. Ik ben de tweede in bevel hier. Wat wil zeggen dat, als er wat met die oude man gebeurt, ik de boel overneem." Hij richtte zich op. "Dus zou je beter maar wat op je tellen passen, jochie. Sommigen zouden kunnen vergeten hoe je bovenop al dat eten zat, maar ik niet. Een beetje respect en een massa hard werk, dat is het wat ik van jou zal verwachten, jochie. Als ik dat niet krijg, dan word je hier zo vlug uitgegooid, dat je voeten de grond niet raken."

Hij draaide zich snel om op een van zijn hielen en stapte trots weg. Ik staarde hem na. Toen hief ik de bijl op en vlamde die zoevend door het blok. Als ik toen had geweten wat Rhodes ooit nog eens ging worden, dan had ik hem het hoofd gekliefd.

26

Die avond was verreweg de beste die ik had meegemaakt sinds de bom. Het huis zat vol mensen. Mannen en vrouwen praatten door elkaar, iedereen dik in de kleren door de verschillende lagen boven elkaar. Er waren maar een viertal stoelen, dus iedereen zat op de vloer. Je kon je nauwelijks bewegen. Er was nog meer van die hutspot. Door het tekort aan borden aten we om beurten. Er kwamen steeds meer mensen bij. Iedere keer als er iemand binnenkwam, riep iemand anders hem wel iets toe en dan lachten ze allemaal. Er was een man met een mondharmonica. Er ging thee rond. We namen een paar slokken en gaven de bekers door terwijl een paar kerels begonnen te zingen. De oude Branwell was druk in de weer met zijn potten en pannen en hij keek erop toe dat iedereen te eten kreeg. Ben glipte overal tussendoor. Hij haalde de lege bekers op en gaf ze aan Branwell om ze opnieuw te laten vullen. Het vroor buiten, maar in de kamer was het warm en benauwd en vol rook. Ik denk dat het zelfs wat stonk, maar daar lette niemand op. We waren samen en je had het gevoel dat er helemaal niets afschuwelijks was gebeurd.

Ik zong net mee met een liedje dat ik kende toen ik naar de deur keek. Kim. Ze had een grote kan in haar hand en was met een man aan het praten. Ik voelde een steek van jaloersheid en ging staan. Toen ze me zag, straalde en lachte ze. En ik wist dat alles in orde was. Tussen de zangers door begon ik me een weg te banen in haar richting.

Ze was op zoek geweest naar benzine uit wrakken. Er waren overal oude auto's. Vrachtwagens en ook bussen, maar het was niet gemakkelijk auto's te vinden met een onbeschadigde tank. De meeste waren geëxplodeerd door de hitte toen de kernbommen vielen. Maar hier en daar kon je er toch een vinden die nog niet was ontploft. Bij een aantal lagen lijken binnenin, maar dat kon Kim niet schelen. Het was haar manier om Masada van nut te zijn.

Ze had de man gevraagd waar hij de benzine wou. De vorige keer dat ze wat had gebracht, stond die in het schuurtje bij het stortbad opgeborgen, maar nu niet meer. Hij had haar gezegd dat er te veel was om die daar nu op te slaan. Ze moest naar de fabriek. Ik mocht de kan voor haar dragen. We praatten al wandelend met onze hoofden gebogen tegen de jagende sneeuw in.

"Wanneer ben je hier beland?" wou ze weten. Ik vertelde haar het hele verhaal. Over vader en zo. Ze zei dat het haar speet, wat waarschijnlijk wel niet helemaal waar zal zijn geweest. Het is nu eenmaal iets wat mensen zeggen.

Toen zei ik: "Waarom trek je niet bij ons in? Als je toch wil helpen, waarom kom je dan niet hier wonen zoals alle anderen?"

Ze haalde de schouders op. "Weet ik niet. Ik heb Maureen, mijn zus, en Mike. We rooien het thuis best. Ik geloof niet dat ze hier echt graag zouden komen. Ze zijn nog niet zo lang getrouwd. Ze willen graag samen zijn, begrijp je, zonder veel anderen om hen heen."

Ik lachte, bloosde en zei: "Dat kan ik Mike niet kwalijk nemen, eerlijk gezegd. Zeker niet als Maureen op jou lijkt." Het was niet mijn bedoeling geweest iets dergelijks te zeggen, maar het leek me een mooie gelegenheid om haar te laten weten wat ik voelde. Niet dat ze dat niet al lang door zou hebben. Maar goed, ik had het gezegd. Ik keek opzij om te zien hoe ze het zou opnemen.

Ze was een minuutje stil. We gingen de fabriekspoort door. Ze stond op het punt iets te zeggen toen een stem knalde: "Halt!" We bleven stokstijf staan. Een schim doemde op uit de duisternis. Een dik ingepakte vrouw met een machinepistool. Ze nam ons scherp op. "Wie zijn jullie?"

"Kim Tyson," zei Kim. "Met benzine voor het magazijn. Ik help soms." De vrouw knikte.

"Nu herken ik je. Wie is dat?" Ze wees met de loop van haar wapen.

"Danny Lodge," zei Kim. "Hij woont hier." De vrouw kwam dichterbij en bestudeerde mijn gezicht.

"In orde," zei ze. "Voortaan herken ik jou. De benzine moet daarheen, de groene deur in de hoek. Blijf er niet rondhangen."

We zetten de kan in het magazijn. Daar waren er honderden, in alle vormen en maten, en wat flessen. De vrouw hield ons vanaf de poort in het oog. We wandelden weer naar haar toe, met een spoor van voetstappen achter ons. Ze knikte toen we voorbijliepen. Haar pony zat vol sneeuwvlekken. Ze moest het wel ijskoud hebben.

Toen we het huis naderden, zei ik: "Je wou wat zeggen. Voor de schildwacht ons tegenhield." Ik hield mijn pas in en ik nam haar bij haar mouw. Ze keek naar de grond.

"Ja," mompelde ze, "ik wou zeggen dat ik ook van je hou, Danny. Heel veel. Als alles was zoals vroeger, zou ik je meisje zijn. Ik zal nu je meisje zijn, als je wil, maar ik geloof niet dat we ons daarmee bezig mogen houden. Niet nu. Niet tot we zien hoe alles evolueert. Begrijp je wat ik wil zeggen?"

Ik knikte. Mijn hart bonkte als razend en ik wou haar in mijn armen nemen en haar nooit meer laten gaan. Toen ik het probeerde, trok ze zich weg.

"Nee." Ze stond een eindje van me vandaan en schikte haar jas. "Dat is precies wat ik wil zeggen, Danny. Het is gemakkelijk je te laten meeslepen. We weten niet wat er zal gebeuren, wat voor een soort wereld het zal worden. We weten zelfs niet of we hier over een maand nog zullen zijn. Laten we afwachten hoe het uitdraait. Oké?"

Ik ademde langzaam in, zoog de bitsige, koude lucht naar binnen. "Oké." Ik kwam dichterbij en strekte mijn handen naar haar uit.

Ze nam ze en drukte ze kort. "Nu moet ik weg. Het komt wel in orde, Danny. Je zal wel zien." Onverwachts trok ze me tegen zich aan. Haar lippen streken over de mijne en toen was ze weg. Ze verdween snel door de dwarrelende vlokjes. De geur van haar haren bleef in mijn neus hangen.

Ik ging het huis binnen. Iedereen was nu terug en de kamer zat overvol. Ben was verdwenen. Ik vermoedde dat Branwell hem in bed had gestopt. Het was er bloedheet en rokerig en lawaaierig door het rauwe gezang. Ik vond een plaatsje op de vloer, wrong mij erheen en ging zitten met mijn armen om mijn knieën. Ik voelde me blij. Echt blij, voor de eerste keer sinds de raketten. Het kwam deels door Kim en deels door de sfeer in die drukke, doorrookte kamer. Het was al erg laat en er waren al heel wat mensen naar bed toen de kerel met de mondharmonica een droeve melodie inzette. Iedereen werd plotseling stil, behalve een drietal mensen in de buurt van de muzikant. Ze begonnen een lied te zingen, over onze situatie. Ik kan het me nu niet meer herinneren. Alleen het laatste stukje, een paar verzen die tranen deden opwellen in mijn ogen. De hele nacht bleven die verzen in mijn hoofd zinderen: "De echo zal antwoorden wie hun namen roepen zal en as zal tranen smoren in hun val."

En zo was het. Zelfs als we meenden gelukkig te zijn, dachten we aan wat we hadden verloren.

27

Pas de volgende morgen ontdekte ik de reden voor het zangavondje. Het was kerstavond geweest. Zo beweerde Branwell tenminste. Hij trachtte de tijd bij te houden. Ergens had hij een klein speelgoedbrandweerautootje op de kop getikt en hij gaf het aan Ben toen die kwam ontbijten. Ik had gedacht dat ze elke avond samen zongen. Toen de anderen waren vertrokken, zei ik: "Ik wist niet dat het Kerstmis was. Ze zongen toch geen kerstliederen?"

Branwell dompelde een paar borden in warm water. "Nee," zei hij. "Gek is dat. Iemand begon er eentje. Dat moet zijn geweest toen jij onderweg was naar de fabriek. Enkelen vielen in en toen liep het met een sisser af. Ze hielden op met zingen, de ene na de andere. Het was misschien te droevig, begrijp je?"

Ik begreep het. Ik hoorde nog het einde van dat andere lied in mijn hoofd. In elk geval, op die zangavond en Bens brandweerautootje na was de kerst voor ons een doodgewone tijd. Toch werd het iets bijzonders voor iedereen in Skipley.

De luidspreker kwam namelijk weer rond met de boodschap dat iedereen moest luisteren naar een speciale instructie. Een of andere grappenmaker verspreidde het gerucht dat een compleet kerstdiner zou worden opgediend in Ramsdenpark. Ook hij moest hebben geweten wat voor dag het was. Een paar mannen van Masada waren in de stad en zij hoorden de mededeling. Die luidde ongeveer zo.

Van die dag af moest iedere gezonde volwassene zich elke morgen op Kershaw Farm aanbieden om te werken. Wie niet werkte, kreeg geen eten. De plaatselijke commissaris had een plan uitgewerkt voor de bouw van woningen en het planten van gewassen. Het had allemaal te maken met het nationale herstel. De bevolking zou Skipley dan moeten verlaten, zo gauw ze woningen voor zichzelf had gebouwd in de buurt van de Farm. Vervolgens zou er een omheining worden opgetrokken rondom die woonplaatsen ter bescherming van de bewoners. Soldaten zouden dag en nacht langs die omheining patrouilleren. Deze ontwikkeling, zei het bericht, zou het begin betekenen van een terugkeer naar het normale leven voor de bevolking van Skipley.

Die avond, toen iedereen naar het huis was teruggekeerd, riep de oude Branwell ons samen. Zij die de bijzondere instructie hadden gehoord, hadden hem er alles over verteld. Hij keek op ons neer toen we op de vloer zaten. Zijn gezicht stond grimmig.

"Wel, mijn vrienden," begon hij, "wat we van het begin af hebben gevreesd, zal zich nu voltrekken." Hij gaf in grote trekken de inhoud weer van de bijzondere instructie en ging toen verder: "We weten allemaal wat dat betekent. Het wil zeggen dat onze hoogverheven commissaris, wie dat ook moge zijn, besloten heeft zijn kleine, feodale stadje te gaan bouwen. Kershaw Farm zal het huis zijn van de heer, het ridderslot, en de commissaris zal de heer zijn. De soldaten, en iedereen van daarboven, zullen de ridders zijn, de jonkers, de baljuws enzovoort. Ze zullen in het huis van de heer zitten en leven van de arbeid van de lijfeigenen. De lijfeigenen zullen de mensen van Skipley zijn. Ze zullen het hele jaar door zwoegen en voedsel produceren, en dan zal de heer met zijn bende daar het leeuwendeel van inpikken en het volk de restjes laten. Er is niets wat het volk daartegen kan ondernemen, want ze zijn afhankelijk van Kershaw Farm voor hun rantsoentje. Dat is precies waarom wij ons hebben verzameld en Masada hebben gevormd. Wij zijn niet afhankelijk van Kershaw Farm. Van ons zullen ze geen slaven maken!"

Er weerklonk wat gejuich bij deze woorden, maar hij smoorde het in de kiem. "Nee!" riep hij. "Dit is niet het moment om te juichen. Nu moeten we waakzaam zijn. Zij weten dat wij hier zijn, die lui daarboven op de Farm. Zij weten maar al te goed dat we nu en dan eens een vrachtwagentje overvallen. Zij weten dat we een bedreiging vormen voor hun plannen en zij zullen voor niets terugdeinzen om ons uit de weg te ruimen. Van nu af aan moeten we nog meer op onze hoede zijn dan ooit tevoren. We moeten de bewaking van dit huis en van de fabriek verscherpen. We moeten sneller opschieten met de voertuigen die we herstellen en ook met de andere uitrusting. We hebben altijd geweten dat we ooit eens zouden moeten vechten. Die dag komt nu naderbij. Ik zal vanavond vergaderen met mijnheer Rhodes en onze verschillende deskundigen. Gedetailleerde instructies zullen later op de avond volgen. Laten we in afwachting allemaal onze gewone taken ter harte nemen en de kalmte bewaren."

Een van die gedetailleerde instructies was dat ik wacht moest lopen samen met nog iemand, om de drie nachten. Ik was blij me nuttig te kunnen maken. Het was me tot nu toe gelukt Charlies pistool verborgen te houden, maar ik leverde het in bij de oude Branwell en die was ermee in de wolken. "Goud, mijn jongen," zei hij, "je reinste goud. We kunnen elk wapen dat we te pakken krijgen gebruiken."

De sfeer was een paar dagen gespannen, zoals bij het bewaken van de winkel. We verwachtten elk ogenblik ze te zien komen, maar ze kwamen niet. Ik vermoed dat ze het te druk hadden met de werken te controleren die begonnen waren op de heuvelrug boven de stad. Lange barakken schoten als bij toverslag uit de sneeuw op. Onze mensen keken de hele tijd vanuit de verte toe. In een paar weken stond er iets wat op een dorp of op een kamp leek. We noemden het spottend 'Het Buitentje'. Maar naarmate de winter langzaam vorderde en nieuws druppelsgewijze begon binnen te lopen over wat er met de mensen daar gebeurde, gaven we het een andere naam: Belsen.

28

Ongeveer een maand later begonnen de eerste overlopers binnen te komen. De barakken waren toen al klaar en de meeste mensen woonden al op de heuvel. Skipley was verlaten, op een paar individuen en families zoals die van Kim na, die weigerden zich bij om het even welke groep aan te sluiten. Ze brachten ons allerlei materiaal en wij gaven hen te eten.

We hadden een afsluiting opgericht dwars over de weg tussen het huis en de fabriek. Op een morgen stond ik op wacht bij de afsluiting toen ik twee ellendig uitziende mannen de weg zag afkomen. Eerst hield ik ze voor mensen uit de stad die wat kwamen eten. Ze hadden niets bij zich, maar het was niet altijd mogelijk iets te vinden waarmee je een maaltijd kon betalen. En de oude Branwell gaf steeds iedereen te eten die erom vroeg – zelfs barbaren, zolang ze zich maar gedroegen. Ik ontgrendelde de veiligheidspal van mijn pistool en sloeg hun komst gade.

Het was een morgen begin februari en er joeg een storm van natte sneeuw. Ze hielden hun lompen dicht tegen zich aan terwijl ze liepen. Af en toe wierpen ze een blik over hun schouders, alsof ze verwachten te worden achtervolgd. Toen ze dichterbij kwamen, viel me op hoe mager ze waren. Hun polsen en enkels leken wel stokjes. Niemand zat destijds erg in het vet, maar deze mannen zagen eruit als wandelende geraamten. Op een afstandje van de afsluiting hielden ze halt en een van de twee begon te spreken, met zijn ogen op mijn pistool.

"Wij zijn van daarboven." Hij draaide zijn hoofd in de richting van het kamp, dat achter de heuvelkam verscholen lag. "Wij zijn uitgebroken. We willen bij jullie komen."

Ik bekeek hen. De kerel die had gesproken, was er al erg aan toe, maar de andere was duidelijk aan het sterven.

Zijn haar was bijna helemaal weg, zijn tandvlees bloedde en dikke, paarse blaren vlekten op zijn huid. Ik had toen al genoeg van de stralingsziekte gezien om een geleidelijke dosis te herkennen. Ik schatte dat hij over een week dood zou zijn. Of eerder, als hij geluk had.

"In orde," zei ik. "Ik zal iemand halen om jullie bij mijnheer Branwell te brengen. Hij zal je zeggen of jullie kunnen blijven of niet." Ik zag de vertwijfeling in hun ogen en voegde eraan toe: "Hij zal je in elk geval te eten geven en wat laten rusten."

Ik riep mijn medeschildwacht, die in het wachthuisje van de fabriek zat te doezelen en hij bracht de twee geraamten weg. Ik wist het niet, maar het zouden de eersten zijn van velen. Van hen, en van anderen zoals hen, kwamen we te weten wat er zich boven bij Kershaw Farm afspeelde.

Zo gauw de barakken waren gebouwd, waren de mensen gedwongen er hun intrek te nemen. Het was niet toegestaan zieke of bejaarde verwanten mee te brengen. Als ze zulke familieleden hadden, stond het hun vrij terug te keren naar de ruïnes van Skipley en daar zorg voor hen te dragen, maar in dat geval zouden ze geen rantsoenen meer ontvangen. Ondertussen hadden ze al lang geen greintje fut meer en slechts weinigen verkozen te vertrekken.

Ze moesten een boerderij oprichten. Meestal met hun blote handen als enige werktuigen hadden ze eerst de bovenste tien centimeter grond moeten afschrapen en wegdragen. Dat was omdat de bovenste tien centimeter vol zat met radioactieve deeltjes en daar zou niets in groeien. Het was januari. De grond was voor het grootste deel keihard van de vorst en werktuigen, zelfs handwerktuigen, waren schaars. Desondanks werden de arbeiders – opgedreven door soldaten die naar hartelust van hun geweerkolven gebruik maakten – gedwongen die bestraalde grond te verwijderen en met kruiwagens naar een stortplaats een flink eind weg van het kamp te vervoeren. De werkdagen waren lang en de voeding ontoereikend.

Wie ziek was of te uitgeput om nog te werken, werd weggebracht naar het 'hospitaal', van waar hij nooit weerkeerde. Daar werden loodinjecties toegediend met een revolver. De mensen werkten tot ze stierven, liever nog dan daarheen te moeten. Het was dan ook niet verwonderlijk dat we vluchtelingen begonnen te krijgen die bij ons onderdak zochten.

Dat bracht echter moeilijkheden teweeg in Masada. Heel wat overlopers waren ziek, en Rhodes en nog wat anderen waren van mening dat we die niet hoorden op te nemen. Voor onze bronnen van bestaan vormden ze een aderlating en zelf droegen ze niets bij.

Branwell betoogde dat, als we begonnen met mensen te weigeren om ze te laten sterven, we even slecht waren als zij die de leiding hadden in Kershaw Farm. De meesten van ons stonden aan zijn kant en Rhodes en zijn aanhangers dropen mopperend af. Achteraf bekeken was de hele situatie toch niet meer dezelfde. Het gevoel dat we allemaal aan dezelfde kant stonden ontbrak. De vijand school zowel in als buiten onze rangen.

We werden ook gedwongen van tactiek te veranderen. Vroeger hadden we maar zitten afwachten wat de tegenpartij zou doen en ons ondertussen voorbereid op een mogelijke strijd. Nu kreeg een gevoel van crisis de overhand. Zelfs nu nog was de vijand de mensen van Skipley aan het uitmoorden en ik vermoed dat het Branwells bedoeling was een reddingspoging te wagen, zo gauw we daar de nodige uitrusting voor hadden. In plaats van zo nu en dan een vrachtwagen te kapen, zond hij ons haast elke avond uit op strooptocht naar soldaten met voertuigen of spullen die we konden buitmaken. Dat was natuurlijk een kolfje naar de hand van Rhodes. Hij was een schoft, maar zelfs ik moest toegeven dat hij een meester was in het leggen van een hinderlaag. We sloegen toe, vluchtten weg en sloegen weer toe. In antwoord daarop zond de commissaris zwaardere en zwaardere escortes mee met zijn vrachtwagens, maar we vielen die niettemin aan en al leden we verliezen, toch groeide onze voorraad uitrusting en wapens aan. Ik was natuurlijk niet altijd bij de aanvallers – Branwell hield er een soort werkrooster op na –, maar ik maakte op een of andere manier toch heel wat acties mee. Ik had nu al zoveel afschuwelijks gezien dat het me niet zoveel meer deed. Wat me echter wel zorgen baarde, was dat de vrouwen erop aandrongen hun beurt te krijgen in deze hinderlaagcommando's en daar was Kim ook bij. Ze woonde nog in de ruïnes, maar kwam nu zowel 's nachts als overdag en kreeg haar plaatsje op de lijst.

Elke keer als zij meeging, brak het koude zweet mij uit, maar uiteindelijk was ik het die in de knoei raakte.

29

Het was een eenvoudige val en we trapten erin. Rhodes had iets moeten vermoeden, maar misschien was het zijn dag niet. In elk geval, het gebeurde als volgt.

We waren met zijn zessen. Rhodes en de anderen hadden machinepistolen, ik mijn pistool. Het was laat, ik denk zo ongeveer één, twee uur 's nachts. We zaten in het struikgewas langs de weg Skipley-Branford. We wisten dat een paar vrachtwagens die ochtend waren weggereden in de richting van Branford, samen met een APC en een paar motoren. We moesten maar afwachten. Uiteindelijk zouden ze toch langskomen.

Rhodes had zo'n trucje met plastic kommen. Hij had er een paar van grijs plastic en als hij een wagen wou doen stoppen, zette hij zo'n kom ondersteboven in het midden van de rijweg. Als het een brede weg was, zette hij er drie of vier op een rijtje. De eerste auto was gewoonlijk een APC en als de chauffeur de kommen in het oog kreeg, stopte hij. Ze waren allemaal bang geworden door het grote aantal hinderlagen dat we al hadden gelegd en van op een afstand zagen de kommen eruit als een soort landmijnen. Hoe dan ook, de APC stopte bijna altijd en wij bleven in dekking liggen tot de chauffeur of een van zijn ploegmaten uitstapte om de zaak van nabij te bekijken. Dan gooiden we een granaat of een benzinefles in de APC en liepen naar de vrachtwagen die erachter was gestopt. Het mislukte haast nooit, behalve als een chauffeur voor de kommen uitweek door met zijn wagen van de weg te rijden en alle andere voertuigen volgden.

Deze keer kwam een vrachtwagen helemaal in zijn eentje en toen de chauffeur de kom zag in het licht van zijn koplampen, remde hij. Zoals ik al zei, we hadden beter moeten weten. Vrachtwagens gingen nu eenmaal niet meer alleen de weg op.

Maar we lieten ons vangen. Toen de chauffeur uitstapte en de weg begon op te wandelen, brulde Rhodes: "Vooruit!" We stormden al vurend de weg op. De chauffeur wierp zich in de berm en toen brak de hel los. Er was een geronk van motoren en twee APC's kwamen schietend de hoek om. Ze waren uitgerust met zoeklichten. Verblind liepen we wat door elkaar op de rijweg. Een derde APC kwam nog van de andere kant. We zaten ertussen gevangen. Rhodes schreeuwde: "Terug! Naar de bomen!", maar ik zag niets. Plotseling kreeg ik een klap en sloeg tegen de grond. Het lawaai overal was verschrikkelijk en het licht verblindde me. Ik dacht dat ik was neergeschoten. Ik lag met mijn ogen dichtgeknepen op de dood te wachten. Het enige waar ik aan kon denken, was aan Ben. Vervolgens verloor ik het bewustzijn.

Toen ik weer bijkwam, lag ik ergens op de grond in een kamer. Een kerel stond op me neer te kijken. Het was Booth. Alec Booth. Vóór de raketten was hij de ergste bullebak van de school. Het herinnerde mij aan vroeger: ik die op de grond lag en hij die op me neerkeek. Het deed alles op een of andere manier onwerkelijk voorkomen.

"Hallo, Lodge!" grijnsde hij. "Lekkertjes geslapen, hé? Soldaatje gespeeld, hé?"

Dezelfde Booth als vroeger. Gewoonlijk vroeg hij: "Wat sta je zo te gapen?" Of: "Wat zei je daar?" Welk antwoord je ook gaf, het was altijd het verkeerde en dan timmerde hij erop los. Deze keer bleef ik zwijgen, maar dat was ook niet goed. Hij trapte me in mijn zij met zijn laars.

"Ik zei: 'Soldaatje gespeeld, hé?'" herhaalde hij, met een vervaarlijk zacht stemmetje. Het drong langzaam tot me door dat ik een soort krijgsgevangene was en dat Booth me aan het ondervragen was. Een golf van angst overspoelde me toen ik eraan dacht in wiens handen ik was gevallen. Met een schok besefte ik dat ik zou sterven. Ik vroeg me een ogenblik verwonderd af waarom ze me niet al lang van kant hadden gemaakt, daar op de weg. Toen wist ik waarom. Ze wilden wat van me. Inlichtingen.

Ik had verhalen gelezen over spionnen in handen van hun vijanden. Over hoe ze de meest weerzinwekkende folteringen doorstonden. Ze gaven geen kik. In mijn fantasie had ik mezelf al in zo'n situatie gezien: zwijgend als het graf, terwijl ze de nagels uit mijn tenen trokken en gloeiende naalden in mijn vel staken. Mijn fantasieën eindigden altijd met mijn redding. Mishandeld en uitgemergeld, maar ik had gezwegen tot het eind. Als held, met mijn borst vol eretekens, vloog ik naar huis terug om te herstellen. Onze troepen stevenden ondertussen, nu hun geheimen niet waren prijsgegeven, op de totale overwinning af. Maar nu ik tegenover de werkelijkheid stond, wist ik dat ik het geen vijf minuten zou uithouden.

Booth zei weer wat met zijn rustige, vervaarlijke stem, iets over Masada. Om een of andere reden schoot me een film te binnen die ik ooit had gezien, over een krijgsgevangene die het zo ver kreeg dat ze hem naar huis stuurden, door te doen alsof hij niet goed snik was. Het was een waar gebeurd verhaal uit de Tweede Wereldoorlog. Het had niets met mijn situatie te maken, maar ik was de spreekwoordelijke drenkeling, verdrinkend in mijn eigen angst, en ik klampte me aan die strohalm vast.

Een zwever. Ik zou doen alsof ik een zwever was. Zwevers weten nergens van. Het zou geen enkele zin hebben een zwever te folteren voor informatie. Het kwam toen geen ogenblik bij me op dat ze me dan gewoon zouden neerknallen. Mijn enige bekommernis op dat moment was hoe te ontkomen aan foltering. Ik draaide me met een wezenloze blik naar mijn beul.

Hij trapte me nog eens, twee keer op dezelfde plaats. Ik sloeg dubbel en greep kermend naar mijn zij. Ik bad dat hij me een vraag zou stellen vóór de volgende trap, zodat ik mijn waanzin zou kunnen tonen.

Hij boog met een vloek over me heen, grabbelde me bij mijn kraag en duwde me op mijn rug. Ik staarde omhoog terwijl de tranen me in de ogen stonden en liet mijn mond openhangen.

"Masada," snauwde hij. "Wat is Masada, Lodge? Wat proberen jullie te doen, hé?"

Ik staarde verdwaasd in zijn grove, gemene trekken. Als de commissaris Booth had gekozen als zijn hoofdondervrager, had hij geen betere kunnen uitpikken. Hij zwaaide zijn voet achteruit. Ik dwong mezelf ertoe niet ineen te krimpen en stomweg grijnzend naar de naakte gloeilamp zei ik: "Ik ben bezig geweest."

"Bezig?" Hij hurkte neer, draaide zijn vuist in mijn jas en sleurde me omhoog tot ik bijna zat. "Waarmee, mijn zonnetje? Dat is wat ik wil weten."

"Ik moest al mijn koekjes verbranden door die muizen," zei ik. "Ze zaten in een trommel helemaal achteraan in de kast, maar toen ik er eentje wou eten, smaakten ze raar en ik moest ze allemaal verbranden." Ik liet mijn hoofd opzij hangen en begon te huilen. "Ik heb altijd tegenslag, mijnheer. Altijd. Ik had de boter op de vensterbank gezet en toen heeft de zon ze gesmolten. Wie had dat nu gedacht, hé? Je kan zelfs je boter nog niet op de vensterbank zetten. Ik ben het beu."

Booths gezicht veranderde en hij gromde iets diep in zijn keel. Hij liet mijn jas los en ik liet mijn hoofd tegen de vloer bonken. Hij stond op met een uitroep van afschuw. "Zwever!" Hij stapte weg, draaide zich plotseling om en riep: "Vervloekte zwever! Wat deed je daar op die weg, hé?"

Ik grinnikte kwijlerig. "Ik slaap en zij doen het licht aan en beginnen lawaai te maken. Ik heb altijd tegenslag, mijnheer. Altijd."

"Zwever!" Hij kwam terug en keek weer op me neer. "Je bent altijd al een snotterend klein kreng geweest, Lodge, en nu ben je een zwever, weet je? Een gapende zwever die nog niet eens weet of hij op de aarde is of eronder." Hij wrong zijn handen, alsof hij iemand wilde wurgen en zijn gezicht was vertrokken van teleurstelling. Hij bekeek me een ogenblik in stilte en zei toen: "Je weet wat we met zwevers doen, hé, Lodge?"

Ik was zo opgelucht geweest toen mijn list scheen te lukken, dat ik er niet bij stilgestaan had wat ze zouden doen als ze erin trapten. Nu trof het mij als een voorhamer en bijna verraadde ik mezelf. Bijna riep ik uit: "Nee!" of iets dergelijks, maar ik zat nu gevangen in mijn eigen bedrog. Als ik angst toonde, als ik zelfs maar liet merken dat ik hem begreep, dan zou de ondervraging opnieuw beginnen. Duizelig van angst dwong ik mezelf te lachen en te zeggen: "Ik heb altijd tegenslag, mijnheer. Altijd."

Zonder waarschuwing boog hij voorover, klauwde zijn beide handen in mijn kraag en sleurde me op mijn voeten. Mijn zij deed pijn waar hij me had getrapt en mijn benen waren als van rubber. Ik waggelde toen hij losliet, dus greep hij mijn arm beet en snauwde: "Vooruit! Naar de baas met jou en dan gedaan ermee." Hij begon me de kamer door te duwen. Ik kon haast niet staan en moest braken. Hij wrong een deur open met zijn vrije hand en we gingen een schemerige gang door met een stenen vloer. We kwamen voorbij een raam. Ik keek even naar buiten en zag een modderige tuin en iets wat op een schuur leek. Ik wist dat we op Kershaw Farm waren.

We sloegen een paar hoeken om en passeerden wat deuren, tot we bij een deur kwamen met 'Commissaris' erop in witte verf. Booth schoof me tegen de muur en klopte. Een stem zei: "Verder." Ik weet nog dat ik me afvroeg waarom die kerel niet gewoon 'Binnen' zei zoals iedereen.

Hij duwde me voor zich uit naar binnen en daar zat Finch, achter een groen metalen bureau. Gemeenteraadslid Finch, de kolenhandelaar, die altijd zijn foto in The Times kreeg. The Skipley Times, niet de grote. Hij kwam ooit bij ons op school praten over hoe de stad werd bestuurd. Ik weet niet wie ik had verwacht te zien toen Booth me daar naar binnen duwde, maar beslist niet gemeenteraadslid Finch. Ik had alle moeite van de wereld om geen teken van herkenning te geven. Hij leunde voorover met zijn ellebogen op het bureau en keek me in het gezicht.

"Ha!" zei hij. "De gevangene. Een kind, zie ik. Wat heeft hij ons te vertellen, kolonel?"

"Kol...?" Ik had het al uitgeroepen, met een blik naar Booth over mijn schouder, voor ik mezelf kon beheersen. Finch trok zijn wenkbrauwen op. "Ja? Wat wou je zeggen?"

Kolonel Booth. Het was een geluk voor mij dat, zelfs in deze noodsituatie, die titel me in zijn volle bespottelijkheid trof. Ik lachte, luider dan de grap verdiende. Ik overdreef. Booth, die naast me stond, zei: "Hij weet nergens van, mijnheer. Het is een zwever."

De blik van Finch sprong van mijn gezicht naar dat van Booth en zijn ogen werden hard. "Ik had bevolen dat een van die varkens van Messina, of hoe het ook mag heten, levend moest worden gevangen. Waarom breng je me dit... ding?" Hij wees naar mij met een minachtend gefladder van zijn pafferige hand.

"Masada, mijnheer," zei Booth. "Hij was bij hen, mijnheer. Ik bedoel, hij was op de weg toen we hen insloten. We konden niet weten dat hij niet bij hen hoorde, mijnheer."

"Konden niet weten!" spuugde Finch verachtelijk. Zijn blik vlamde terug naar mij. "Hoe weet je dat het een zwever is?"

Mijn hart sloeg over. Booth zei: "Ik kende hem, mijnheer, vroeger. Op school. Hij was altijd flauw, mijnheer. Niet het soort om zich aan te sluiten bij guerrillabewegingen. Het is wel degelijk een zwever, mijnheer."

"Wat deed hij dan voor de drommel daar op die weg?"

Booth haalde de schouders op. "Slapen, denk ik, mijnheer, in het struikgewas. Het schieten bracht hem in de war en hij liep er recht in. Het spijt me, mijnheer."

"Wat heb ik daaraan!" Finch scheen plotseling zijn belangstelling te verliezen. Hij nam een paar papieren, bladerde ze een ogenblik door en keek op: "Wel, kolonel, waar wacht je nog op?"

"Mijnheer?"

Finch wapperde vertwijfeld met zijn hand. "Doe hem hier weg, Booth. Neem hem mee naar buiten en schiet hem neer. En breng hier morgen om deze tijd een echt lid van Masada. Dat is alles."

De angst verlamde me totaal. Ik zou zeker zijn gevallen, maar Booth grabbelde me bij mijn arm en leidde me de kamer uit. Ik was te geschokt om weerstand te bieden. We gingen via een witgekalkte doorgang naar buiten in de tuin. Bij de buitendeur stond een kerel in een stralingspak met een machinepistool. Booth zei hem iets en de man overhandigde hem het wapen. Terwijl we door de modder stapten, kon ik in panische angst mijn ogen niet van het wapen afhouden dat op Booths schouder schokte: het werktuig van mijn dood. Ik vroeg me af waar hij het zou doen.

We liepen om de schuur heen en daar voor mij lag het kamp dat we Belsen noemden: rijen houten barakken, die zich uitstrekten over heel de helling naar beneden. Tussen het kamp en de boerderij stond een hoge prikkeldraadafsluiting met een poort erin. Die poort werd bewaakt door twee mannen met een hond. Buiten het kamp, links van ons, lag de boerderij die ze aan het maken waren: een grote lap ruwe grond vol door elkaar wriemelende gestalten die bukten, sjouwden, kruiwagens duwden, terwijl soldaten in fall-out-uitrusting toekeken.

We bogen rechtsaf en verlieten de tuin door een dubbele omheining. Tussen de omheiningen was de aarde zuiver en plat gemaakt en lampen regen zich aan een kabel over de hele lengte, als een halsketting. Op gelijke afstanden stonden hoge wachttorens, als bij een gevangenenkamp in een film. Ik zag het allemaal in een soort verdoving terwijl ik naar mijn dood toeliep. Gedachten flitsten in het wilde weg door mijn hoofd. Waar halen ze de energie voor die lampen? Wat zal er van Ben worden? Waar gaat hij me afmaken? O, Kim.

We liepen de helling af, met de enkele omheining van het kamp aan onze linkerkant. De ruïnes van Skipley lagen uitgestrekt voor ons. Mijn hersenen functioneerden kristalhelder. Ik herinnerde mij ergens te hebben gelezen dat levensgevaar het verstand scherpt. En zo is het ook. We hielden halt bij de benedenhoek van de omheining. Hij zette me tegen een van de palen en ik dacht: "Dit is het." Ik was niet in panick, niet door het dolle heen. Daar was het te laat voor, denk ik. Hij zou een paar passen achteruit stappen, zijn wapen optillen en toen... Beter dan foltering. Beter dan een geleidelijke dosis. Beter dan mijn vrienden te verraden.

Ik merkte dat mijn beul aan het spreken was en ik concentreerde mijn aandacht op zijn woorden. Hem kennende verwachtte ik schimpscheuten, een beetje leedvermaak om de doodsstrijd te rekken.

Wat hij zei, was: "Jij bent een echte komediant, hé, Lodge? Ik heb al meer zwevers gezien dan jij zou kunnen tellen. Als jij een zwever bent, dan mag ik een boon zijn. Toch goed de baas erin geluisd. Wist niet dat jij dat kon. Maar je mag je wel in je handjes wrijven dat ik het was die je kreeg. Om het even wie anders en je was er geweest, begrepen?" Hij ramde de loop van zijn wapen keihard in mijn maag. Terwijl ik in elkaar klapte, deed hij een stap achteruit en toen ik viel, stampte hij in mijn gezicht.

Ik kromp ineen op mijn zij. Ik zou daar zijn blijven liggen, maar hij bukte zich, scharrelde me bij mijn hemd en trok me overeind. Ik stikte in mijn bloed. Mijn neus pruttelde bloedbellen als ik ademde en er zat een verblindende pijn achter mijn ogen.

"Dat is om niet te vergeten het je vriendjes te vertellen: blijf weg van Kershaw. Zelfs zwevers onthouden een laars op hun smoelwerk." Hij richtte het geweer omhoog en schoot een kort salvo af. Hij wachtte een paar seconden, vuurde toen nog een enkel schot af. Toen nam hij me bij de arm en begon me in de richting van de weg te sturen. Ik had het te druk met het bloed en de snot uit mijn mond te houden om er erg in te hebben. Het volgende wat ik besefte, was dat hij iets zei wat ik niet verstond en dat hij me daar op het asfalt achterliet.

Het is niet waar wat ze zeggen, dat er in ieder van ons iets goeds schuilt. Niet na kernbommen, zeker niet. En toch moet er iets zijn geweest in die dekselse Booth. Zo zie je maar dat je het nooit kan weten.

30

Ik weet niet meer hoelang we erover hebben gedaan voor we onszelf paraat achtten om hen aan te vallen. Een hele tijd, waarschijnlijk. We trachtten een paar deugdelijke voertuigen te bemachtigen, om hun APC's het hoofd te bieden, maar het lukte ons nooit. En toen vergiftigden ze de waterput.

Later gaf Branwell zichzelf de schuld, maar ik denk dat hij alles had gedaan wat hij kon. Hij had al enige tijd voordien beseft dat de waterput van essentieel belang was voor onze overleving buiten het kamp van de commissaris. Daar was het enige zuivere water van mijlen in de omtrek, op de put in Kershaw Farm na. Hij had er dag en nacht bewaking bij gezet: twee kerels met machinepistolen, die om de vier uur werden afgelost. Telkens als de wacht wisselde, brachten de mannen die hun beurt hadden beëindigd water mee naar het huis. Zij waren de enigen die uit de bron water mochten putten, behalve de losse groepjes die nog in de ruïnes woonden.

Hoe dan ook, ze kwamen in het midden van de nacht, zonder voertuigen. Slechts een commando-eenheid, vermoed ik, in alle stilte en met vergif bij zich. Toen de aflossing er om zes uur op uit trok, vonden ze de wachters met overgesneden keel naast een paar lege vaten waar vergif in had gezeten, onkruidverdelger of zoiets. Branwell wist alles van onkruidverdelgers. Hij schatte dat het op zijn minst weken zou duren, voor het water zichzelf zou zuiveren, àls het dat ooit deed. Hij besefte dat ons nu slechts één kans overbleef. We moesten Kershaw Farm innemen.

Branwell ontbood me bij hem. Ik had er weinig zin in. Ik had twee dagen in bed gelegen sinds ik terug was gekomen van mijn ontmoeting met Booth. Mijn wang was een grote blauwe plek en Kate, de verpleegster, dacht dat ik een paar ribben had gebroken.

Ik zat helemaal onder de windels en ik voelde medelijden met mezelf, ook al zei iedereen dat ik bofte dat ze me niet hadden afgemaakt. Ik kwam mijn bed uit en begaf me op weg naar de grote kamer. Daar zat Branwell, samen met Rhodes en een paar anderen. Ze hadden een kaart op de tafel liggen, een kaart van de topografische dienst met Skipley en omgeving erop. Ik voegde me bij hen en Rhodes wierp een onaangename blik op me.

Branwell zei: "Wel, Danny, nu kan je jouw onprettige ervaring van onlangs nuttig gebruiken. We moeten het een en ander weten over de inrichting op de Farm." Hij tikte op de kaart waar Kershaw Farm stond, een tros piepkleine huisjes aan de rand van de heide. Ik boog mij erover, met een grimas van de pijn in mijn ribben.

"Wel," begon ik duizelig. Ze keken allemaal naar mij, alsof ik veldmaarschalk Montgomery of zo was. Ik trachtte me alles weer voor ogen te halen wat ik had gezien tijdens het onwezenlijke tochtje met Booth dat op mijn dood had kunnen uitlopen. "Hier is alles omgeven door een dubbele omheining, met lichten erboven." Ik cirkelde om de Farm heen met mijn vinger.

Rhodes zuchtte van ongeduld. "Dat weten we," snoof hij. "Dat kunnen we van hier ook zien."

Branwell wierp hem een scherpe blik toe en zei: "Wat weet je over de gebouwen zelf, Danny? Kan je ons vertellen waarvoor de gebouwen worden gebruikt?"

"Hm." Ik kauwde op mijn gezwollen lip terwijl ik het mij trachtte te herinneren. "In het huis zelf zijn bureaus. Kamers die tot bureaus zijn gemaakt. Een ervan is dat van de commissaris. Er was er een waarop 'Voedingsofficier' stond en een ander met iets over gezondheid. Er is een keuken en ik denk dat ik ergens boven kinderen heb gehoord." Ik wist dat het allemaal niet zoveel voorstelde. Ik kon Rhodes' spottende ogen op me voelen en ik bloosde.

"Rustig maar, Danny," zei Branwell. "Neem maar je tijd en tracht het je te herinneren. Je stond toen onder een enorme spanning. Daar hebben we allemaal begrip voor. Wat weet je over de soldaten?"

Ik fronste de wenkbrauwen: "Er waren een paar barakken. Hier, denk ik. Ze staan niet op de kaart." Ik wees een leeg stukje aan tussen de gebouwen. "Ze waren langwerpig en zagen er nieuw uit. Er hingen buiten een paar mannen in stralingspakken rond." Branwell knikte. "Dat klinkt al beter. Heb je voertuigen gezien?" "Ja." Ik herinnerde me dat gedeelte levendig en duidde een gebied aan tussen het boerderijhuis en waar het kamp nu lag. "Hier. Hier stonden een paar APC's, een paar vrachtwagens en wat auto's, allemaal samen geparkeerd op een betonnen platform. En ook een motor." "Heb je ergens een waterput gezien?" viel Rhodes in. Ik knikte. "Die is in de tuin. Dicht bij het huis." Ik boog me over de kaart. "Hier."

"Aha!" Branwell, die de kaart nauwkeurig van nabij had bestudeerd, richtte zich op. Hij keek naar de mannen en vrouwen rond de tafel. "Zien jullie ook wat ik zie?" Hij glimlachte. Ze bekeken hem niet-begrijpend. Iedereen, behalve Rhodes, die flauwtjes glimlachte en knikte terwijl hij met zijn spottende ogen naar de anderen keek. Branwell zei: "Vertel het hun, Keith." Keith. Ik had me vaak afgevraagd waar die K voor stond.

Rhodes grijnsde zelfvoldaan, genoot van dit ogenblik. "Alles wat van belang is," zei hij, "zit geconcentreerd aan het ene einde van de tuin, de oostkant. En de soldaten zitten aan de andere kant. Kijk." Hij wees. "Het huis, de waterput en het wagenpark: alles hier aan de oostkant van de tuin. Als we die oostkant bezetten, hebben we de soldaten afgesneden van hun rijdend materieel en van hun bevelhebbers. We hebben de commissaris te pakken en we controleren de watervoorziening. Ze hebben geen andere keuze dan zich over te geven!"

Iedereen begon plotseling door elkaar te praten. Mijn ribben deden verdraaid pijn. Branwell vroeg me nog enkele dingen en zei toen dat ik mocht gaan.

Ik sukkelde terug naar de kamer, die ik met negen andere mannen deelde. Ze waren allemaal buiten. Op mijn bed begon ik na te denken over het komende gevecht en of ik na afloop ervan nog wel zou leven. Als Ben, die boven sliep, er niet was geweest, of Kim, geloof ik niet dat het me veel had kunnen schelen.

31

Dorst is iets verschrikkelijks. Ik had er voordien nooit over nagedacht. Branwell rantsoeneerde het weinige water dat we hadden tot een kopvol per dag per persoon. Dat gold voor iedereen, dat wil zeggen, voor alle leden van Masada en ieder ander die erom kwam vragen.

Rhodes was razend. "Deel het toch niet uit aan Jan en alleman!" tierde hij. "Hou het voor ons! Wij moeten ons in conditie houden." Branwell liet hem schreeuwen en ging gewoon door. De meesten van ons stonden aan zijn kant. Toen het water in de emmers op was, begonnen we aan dat van de stortbadtank.

Het was april en warm voor de tijd van het jaar. De tweede dag dronken sommigen van de waterput en stierven. We moesten er opnieuw een wachtpost bij opstellen. De mensen begonnen uit plassen te drinken en zogen zo radioactieve troep naar binnen die hen langzaam zou doden. Enkelen vertrokken en gaven zich aan bij het kamp.

We werkten ons te pletter. We bezaten een Land Rover en drie wagens. We voorzagen de voorruiten van pantserplaten met oogspleten en monteerden een zware mitrailleur op de Rover en een zoeklicht. We hadden twee motorfietsen. Uit schroot maakten we er primitieve zijspannen aan en plaatsten er ook mitrailleurs op. We hadden een rakettenwerper met een raket. Die bevestigden we op een van de auto's. Daarnaast hadden we ongeveer twintig automatische geweren en machinepistolen. De rest van ons zou het moeten stellen met jachtgeweren, pistolen en een allegaartje van zelfgemaakte wapens. Er zat zelfs een kruisboog bij.

De vierde dag na het vergiftigen van het water verdween Ben. Ik had de hele dag aan de overkant in de fabriek gezeten om de voertuigen klaar te helpen krijgen. Het begon al donker te worden toen Branwell aangelopen kwam. "Danny!" riep hij in de deuropening bij het laadplatform. "Danny, kom vlug. Ben is weg!"

Het was de dorst. De oude man gaf namelijk elke dag na het ontbijt iedereen zijn kop water, maar dat van Ben hield hij op een hoog rek opdat hij het niet meteen allemaal zou opdrinken. Die morgen had Ben erover gezanikt en Branwell had getracht hem uit te leggen dat het voor zijn eigen bestwil was. Ben had gemokt en was op een bepaald ogenblik naar buiten gegaan. Branwell had zijn afwezigheid niet opgemerkt omdat hij te druk in de weer was met de planning van de aanval op de Farm, tot hij toen de avond begon te vallen besefte dat Ben nog niet om wat water was komen vragen.

Ik was door het dolle heen. Branwell organiseerde zoekpatrouilles met zaklantaarns en fluitjes. Kim kwam. Ze praatte met me, zei dat ik me geen zorgen hoefde te maken, maar ik was zo radeloos dat ik nauwelijks besefte dat ze er was. Ik dacht aan al het onheil dat een kleine jongen daarbuiten in de duisternis zou kunnen overkomen. Toen de groepjes vertrokken, ging ik niet met ze mee. Ik trok er alleen op uit, al had ik Branwell wel gesmeekt me mijn pistool te laten meenemen.

Naarmate de nacht vorderde, werd het kouder. Ik had de meeste van mijn kleren in de loop van de morgen uitgetrokken en droeg nu alleen een hemd en een broek. Terwijl ik voortliep, klapperden mijn tanden en ik kon niet zeggen of het van de kou was of van angst.

Ik doorkruiste heel Skipley. De verwoeste stad lag er stil bij, op het roepen van de zoekers af en toe na. Ik liep door de met puin bezaaide straten in een fikse looppas en riep voortdurend Bens naam. Algauw waren de zoekpatrouilles ver achter me. Ik had er geen benul van in welke richting ik liep. Ik was te zeer overstuur om volgens een plan te werk te gaan. Het moet een of andere vorm van intuïtie zijn geweest die me de juiste richting deed kiezen terwijl alle anderen er mijlenver naast zaten. Ofwel was het dat, ofwel je reinste toeval.

Ik bevond me in die lange straat, de Kanaalstraat, hoewel er nu geen kanaal meer was. Ik liep in lusjes verder, hijgend, het pistool in de hand. De behuizing nam geleidelijk af. Er was een lange strook onbewerkt grasland, eigenlijk braakland, waar al lang geleden de huizen waren weggeruimd. Het was een van die plaatsen waar zigeuners hun woonwagens kwamen zetten en er hun ruige pony's lieten grazen, en waar anderen 's nachts hun oude matrassen en bankstellen kwamen storten. Kortom, ik was over deze weg aan het hollen toen ik een licht zag.

Ik stopte. Het was een kampvuur, op het lager gelegen terrein links van me, waar een honderd jaar geleden het vroegere kanaal liep. Er dreef een geur in de lucht. Een zoet, rokerig aroma dat mijn verdroogde mond deed watertanden. Daar beneden tussen de rommel en het verdorde gras was iemand vlees aan het braden.

Ik verliet de weg en begaf me op de berm, zachtjes op mijn linnen pantoffels. Ik sloop half ineengedoken, mijn pistool in een stevige greep, over de berm naar beneden. Ik wist niet wat ik zou doen. Misschien een sullige vraag stellen. Hebt u toevallig een kleine jongen hierlangs zien komen? Misschien hoopte ik op een hapje vlees. Ik weet het niet. Ik kroop achter een bosje uitgedroogde vlierstruiken en keek neer over het terrein.

Het vuur brandde in een kring van stenen. Twee mannen in kleermakerszit zaten eromheen. Er lag een spit, gemaakt van takken, over het vuur met een homp vlees erop.

Achter hen stond een hut met een zak voor de deuropening en wat verder stond een oude, roomkleurige caravan met dichtgespijkerde ramen. Net toen ik keek, werd de zak opzij getrokken en kwam er een vrouw uit de hut. Ze was dik, droeg een mannenoverjas en had lang, zwart haar. Ze kwam bij het vuur staan. Een van de mannen zei wat en ze lachte.

Ik werd gek van de geur van het vlees. Ik zag nergens een wapen. Toch hield ik me in dekking. In deze tijden was een mens met eten als een leeuwin met haar welpen. Hij was in staat elke indringer meteen aan te vallen.

Terwijl ik daar zo besluiteloos zat, werd ik gewaar dat er iemand over de berm boven en achter me aankwam. Ik hurkte diep in het donkere struikgewas en boorde mijn ogen in de duisternis. Mijn hart bonsde.

Twee mensen kwamen naar beneden. De ene droeg een pak over zijn schouder. De vrouw bij het vuur hoorde ze en riep met een scherpe fluisterstem: "Syl? Terry?" Haar maten scharrelden overeind. Een van hen trok een pistool tussen zijn lompen te voorschijn.

"Ja, oké." Een vrouwenstem. Ze waren nu dichtbij. Hun handen en gezichten lichtten op in de gloed van het vuur terwijl ze naar beneden kwamen. Ik maakte me zo klein mogelijk in het donkerste hoekje en beet op mijn lip, mijn hand klam rond de pistoolkolf. Ik kon hen nu duidelijk zien. Het scheen me toe dat ze maar even mijn kant hoefden uit te kijken om me te zien zitten. Ik hield de adem in, vastbesloten hem te smeren zodra de nieuwkomers me voorbij waren.

Toen ze in de lichtkrans van het vuur traden, zag ik wat de man droeg. Bijna gilde ik het uit. Het was Ben. Hij hing als een vod over de schouder van de man. Die hield hem vast bij een been en Bens hoofd bonsde met elke stap tegen zijn rug. Ik kromp ineen en zag hem met grote ogen van ongeloof voorbijkomen. De schok moet mijn verstand hebben uitgeschakeld. Zo gauw hij voorbij was, sprong ik overeind en schreeuwde: "Mijn broer! Dat is mijn broer!"

Ik mocht van geluk spreken dat ze me niet ogenblikkelijk neerkogelden. En ik was die vrouw volledig vergeten. Voor ik wist wat er gebeurde, hielden de twee kerels bij het vuur al pistolen op me gericht en stond de vrouw op de helling achter mij met een knots in haar vuist.

"Sta stil!" De twee kerels zaten ineengedoken en wierpen me woeste blikken toe, over hun wapens heen.

De vrouw achter me zei: "Je broer, zo zo. Wel, dan zou je toch beter naar beneden gaan, of niet soms?" Ze zwaaide met haar knots. Ik hief mijn handen in de lucht en liep langzaam de helling af.

De kerel had Ben bij het vuur op de grond gelegd. Zijn gezicht zag lijkbleek en er zat bloed in zijn haar. De andere vrouw, die die daar al de hele tijd was geweest, knielde naast hem neer. Ik bekeek haar. "Is alles in orde met hem? Waar hebben jullie hem gevonden?" De vrouw met de knots porde me in de rug met haar wapen. "Hou jij je waffel!" blafte ze. Ze stonk vreselijk. Ze stond tegen de wind in, maar ik kon haar duidelijk ruiken. Een van de mannen lachte. Ik bekeek hem. Zijn gezicht en zijn handen waren smerig, zijn baard en zijn haar waren een verwarde en vieze massa. Ik bekeek hen een voor een. Vuile gezichten in de vuurgloed. Er was iets mee. Rare, valse ogen. Ik huiverde.

De vrouw bij het vuur zei: "Hij is gewond. Zwaar. Je kunt beter komen kijken." Ze legde een hand op zijn wang en rolde zijn hoofd opzij.

Mijn verstand stond stil. Gek van bezorgdheid kwam ik naar het vuur toe en viel op mijn knieën bij Bens hoofd. Veel te laat rinkelde er een alarmbel in mijn schedel. De kerel die had gelachen, lachte nog eens en de vrouw met haar knots stond vlak achter me. Ik wierp mezelf opzij, al wist ik dat het vergeefse moeite was. Iemand riep en toen begonnen de pistolen te schieten.

Ik gooide me over Bens lichaam heen. De geknielde vrouw reutelde en kieperde om met bloed over haar gezicht. De man die Ben had gedragen, tuimelde voorover en belandde middenin het vuur. Een regen van vonken spatte onder hem uit en de homp vlees rolde over het gras.

Ik hoorde nogmaals roepen en ik rukte mijn hoofd om. Rhodes stond op de berm, zijn gezicht verlicht in wat er van het vuurschijnsel was overgebleven. Hij beschoot het kamp met een spervuur uit zijn machinepistool. Iemand anders schoot vanuit een andere hoek. Kogels ratelden en ranselden overal, patsten wolkjes stof op en spatten kleine kloddders grond rond. Ik spreidde me over het roerloze lichaam van Ben en perste ons beiden dicht tegen de aarde.

Het leek een eeuwigheid te duren. Elk ogenblik verwachtte ik dat de inslag van kogels me uit elkaar zou rijten, me van mijn broer zijn hulpeloze lichaam zou afgooien. Ik lag met mijn ogen dichtgeknepen en mijn tanden op elkaar geklemd, verstijfd, en vroeg me af wat er nog kon zijn overgebleven om op te schieten. Na lange tijd hield het plotseling op en was er alleen de nagalm in mijn oren. Ik deed mijn ogen open en ging overeind zitten.

Het was een slachtplaats van opengereten, doorbloede aarde met voddenpoppenfiguren erop. De man in het vuur begon te braden en toen ik de vrouw met de knots in het oog kreeg, kotste ik het uit over mijn kleren. De compagnon van Rhodes was een vrouw. Ze kwam naar me toe, al zwaaiend met haar wapen, en ging op een knie zitten. Ze legde haar oor tegen Bens mond, richtte zich op en zei: "Hij is in orde, denk ik. Breng hem toch maar bij Kate."

Rhodes was naar de doorzeefde caravan toe gegaan, had de deur ingetrapt en zijn hoofd naar binnen gestoken. Nu liep hij op de hut af en stampte die in elkaar. Hij bleef maar op de brokstukken inbeuken, tot alles plat lag. Geen muis had er binnen kunnen overleven. Hij kwam naar me toe en keek op me neer. Ik wist dat hij wat te zeggen zou hebben. Iets sarcastisch. Ik had me gedragen als een sufferd en voor één keer verdiende ik het. Ik stopte even met het braaksel van mijn jeans te wrijven met gras en keek naar hem op. Eerst zou ik de uitbrander incasseren.

"Bedankt," zei ik. "Je hebt ons leven gered."

"Weet ik." Hij gaf een trap tegen een blinkende kogelhuls. "En verspilde er kostbare munitie mee." Ik stond op het punt iets terug te zeggen over de nodeloos lange duur van de schietpartij toen hij eraan toevoegde: "Van nu af aan, Lodge, stel ik voor dat je in de buurt van het huis blijft. En hou je dierbare broertje bij je, als je niet wil dat hij op die manier aan zijn einde komt!" Hij knikte naar het uiteengeslagen vuur. De kleren van de dode kerel waren aan het smeulen.

Ik begreep niet waarop hij doelde. "Hem?"

"Nee, niet hèm," snauwde Rhodes. Hij verschoof de bijna gare homp vlees met de hak van zijn laars. "Dit. De kleine was gesnapt door purperen, jij driedubbele idioot! Een uurtje later of zo en ze hadden hem opgegeten."

32

"Waarom 'purperen', mijnheer Branwell?" Hij was volop bezig. Dat waren we allemaal, maar ik kon het niet uit mijn gedachten bannen. Van alles wat ik sinds de atoombommen had gezien, was dat het walgelijkste. Ik begreep nu waarom Rhodes was blijven schieten toen ze allemaal al lang dood waren. Hij had geprobeerd het hele voorval weg te schieten uit de werkelijkheid, alsof er nooit purperen hadden bestaan.

Branwell antwoordde terwijl hij benzine in de tank van de wagen goot. "Er was ooit een liedje. Lang geleden. Een popsong. 'The Purple People-Eater'. De paarse menseneter. Over een monster dat rondliep en mensen opat. Eigenlijk was het een kinderliedje, maar ik geloof dat het bovenaan op de hitlijsten stond. Ik vermoed dat iemand het zich herinnerde en de kannibalen 'purperen' begon te noemen. Ik zou het nu maar trachten te vergeten, als ik jou was. Je zal al je geesteskrachten nodig hebben om de volgende paar uren door te komen."

We trokken erop af. Die nacht. De laatste vierentwintig uur waren koortsachtig geweest. Zo druk dat ik nauwelijks de tijd had gehad om angst te voelen. We hadden Ben teruggebracht en de buil op zijn hoofd opgelapt. Daarna waren we onmiddellijk begonnen met de voorbereidingen. Nu was het grootste deel van het werk achter de rug. De tijd begon te dringen en ik werd angstig. Ik bleef maar denken aan die purperen, maar tussendoor dacht ik ook na over doodgaan. Het had me aardig wat meer de stuipen op het lijf gejaagd dan toen Booth me naar buiten had geleid om me neer te schieten. Gek.

We waren allemaal samengekomen in de grote kamer van het huis en Branwell had ons toegesproken. Dat bleef ik me ook herinneren. "We moeten slagen," had hij gezegd. "We zullen alleen deze ene kans krijgen. Als ze ons afslaan, zullen ze ons achternazitten en ons uitroeien." Geweldig.

Hij had wat mensen naar het kamp gezonden om er te trachten onder de bewoners een opstand op touw te zetten, die dan zou samenvallen met onze aanval. Het waren mensen die heel de winter door waren blijven wonen in de puinhopen van Skipley. De echtgenoot van Kims zus was een van hen. Ze zouden doen alsof ze er genoeg van hadden en zichzelf aangeven bij het kamp in ruil voor een slaapbank en zuiver drinkwater. Niemand daar zou iets vermoeden. Het gebeurde geregeld.

We zouden ons op weg begeven om halftwee 's nachts. Er was een vrachtwagen van hen over de weg naar Branford gereden met een APC. Een ploeg van onze troepen zou in hinderlaag liggen als deze voertuigen terugkeerden naar Kershaw Farm. Als de wachtposten bij de wegversperring onze motoren hoorden, zouden ze denken dat het de vrachtwagen was die terugkwam. Tegen de tijd dat ze ons doorhadden, zouden we al bovenop hen zitten. Wagen Eén met de raketwerper zou vooraan rijden. Hij zou zijn raket afvuren op de wegversperring en daar dan doorheen rijden met de Land Rover er vlak achteraan, op naar de hoofdpoort. Daar zouden ze dwars over de toegangsweg parkeren en die zo blokkeren.

Ondertussen zouden Wagen Twee en Wagen Drie de weg al eerder zijn afgereden, waar het kamp begon. Onze infiltranten zouden de draad hebben doorgesneden bij de benedenhoek, precies daar waar Booth me naartoe had geleid om me af te maken. Wagen Twee moest door dat gat in de omheining rijden en koers zetten naar de boerderij, in de dekking van de rijen barakken. Wagen Drie, met mij aan boord en een paar anderen, zou langs buiten rond het laagste deel van het kamp rijden en ons halverwege de andere kant afzetten. We moesten de rest van de afstand te voet afleggen, de wachttorens aan de achterkant van het boerderijhuis uitschakelen en daar de draad doorknippen. De auto zou dan door de poort breken tussen het kamp en het nieuwe boerderijterrein, en zich bij Wagen Twee voegen in de aanval op de Farm.

Het was een plan van Rhodes. Hij had zijn spionnen uitgezonden. Er kwam heel wat meer bij kijken dan ik heb opgesomd. Iets over heibel in het kamp als afleidingsmanoeuvre en over een heleboel mannen te voet met allerlei opdrachten, maar ik wist het nooit helemaal precies. Ik kreeg een grote draadschaar en iemand liet me zien hoe ik die moest gebruiken. Onder vijandelijk vuur zou ik daarmee door een dubbele afsluiting heen moeten. Dat was genoeg. Toen het bijna tijd was, ging ik nog eens met Branwell praten.

"Als ik het niet haal, wil jij dan in mijn plaats voor Ben zorgen?" Ik wist dat het wat tranerig klonk, net iets uit een oorlogsfilm, maar ik wou Ben veilig en wel weten voor het geval er iets gebeurde. Hij bleef in het huis tot de volgende dag, samen met de zieken, Kate en een paar van de mannen.

Branwell lachte me niet uit, zoals hij dat misschien had gekund, maar grinnikte alleen, streek even door mijn haar en zei: "Natuurlijk zal ik dat, jongen. Maak je daar maar geen zorgen over." Hij zei niet: "Er zal jou toch helemaal niets overkomen." Hij was een zeer oprechte oude man.

Hoe dan ook, toen alles klaar was, lummelden we zo'n beetje rond tot het tijd was om te gaan. Dat was het ergste. Ik probeerde een praatje met Kim, maar die had haar zus bij zich, Maureen. Maureen zat in de rats over haar echtgenoot, Mike, die boven in het kamp was. Geen van beiden had zin om te praten. Kim zag er vreemd uit met haar zwartgemaakte gezicht en een machinepistool op haar rug. Net iemand anders.

Rhodes werkte op mijn zenuwen. Hij bleef maar heen en weer vliegen van de ene groep naar de andere terwijl we daar rondhingen in de fabriek. Hij drukte ons luid fluisterend op het hart onze opdracht niet te vergeten en te wachten op zijn teken. We hadden alles al tientallen keren doorgenomen, maar hij zat op hete kolen.

Ik zat met mijn rug tegen de muur en mijn hoofd tussen mijn knieën half te slapen toen het signaal weerklonk om uit te rukken.

De troepen die te voet gingen, moesten eerst weg. Daar hoorde Kim bij. Ik schudde de slaap uit mijn hoofd en keek toe hoe ze zich met z'n allen door de deuropening wrongen. Ik probeerde haar te ontdekken. Met hun voddenkleren en hun uitrusting en hun zwarte gezicht zagen ze er allemaal eender uit, maar ik kreeg haar in de gaten. Ik stond op en baande me een weg naar haar toe door het gewoel van de menigte heen.

Ze was al bijna bij de deur, een deeltje van de dichte deining die naar de ingang stroomde, en ik moest me erg uitrekken en haar bij de arm grijpen om haar tegen te houden. Ze draaide zich om, met een hand aan de riem van haar wapen. Mensen botsten tegen ons op, zo gauw we stilstonden en ik trok haar wat terzijde uit het gedrang. Haar ogen schitterden fel in haar zwarte gezicht.

"Wat is er, Danny? Wat wil je?"

"Ik... Ik wou wat zeggen. Veel geluk of zoiets. Ik bedoel, we weten niet of we zullen..." Ik brak af, me wel bewust dat mijn stem bibberde. Ik wist echt niet waarom ik haar uit de menigte had gehaald. Ze keek erg boos.

"Luister: ik heb het je al gezegd. We moeten hard zijn, harder dan zij. De wet van de wildernis, gesnapt?" Ze trok zich uit mijn greep los, draaide zich weer de stroming in. Ik stond te kijken naar haar hoofd tussen al die andere, tot het verdween. Ze keek niet om.

Toen ze weg waren, stond Rhodes bij de deur met een paar van zijn boezemvrienden, te turen op zijn horloge. We moesten hen tien minuten voorsprong geven en hen dan met de auto's volgen. We stonden daar maar, rot van de zenuwen, toen we het geluid van een vrachtwagen hoorden. Rhodes vloekte, sloeg er wat bevelen uit en liep naar buiten in de duisternis met twee kerels op zijn hielen. De rest van ons drong naar voren, maar de oude Branwell stond in de deuropening en hield ons tegen met opgeheven arm. Er klonk een schreeuw vanaf het erf, een gepiep van remmen, en wat gejuich. Branwell draaide zich om, keek naar buiten en zei: "Het is het hinderlaagcommando. Ze hebben een vrachtwagen meegebracht!"

Dat was een geweldige opkikker voor ons moreel. Doorgaans

werden de vrachtwagens beschadigd of vernield in hinderlagen, maar deze jongens hadden er een ongeschonden op de kop getikt. Er volgde hals over kop een aanpassing van de plannen. De vrachtwagen zou voor Wagen Een uitrijden, zodat de schildwachten bij de versperring zouden worden misleid en voor hem zouden opendoen. De auto en de Land Rover zouden in zijn kielzog doorbreken en een paar kerels achterop de vrachtwagen moesten de schildwachten in de rug beschieten. Toen dit alles was uitgewerkt, was het tijd om te vertrekken.

We verlieten de fabriek en stapten in onze voertuigen. Wagen Drie zat barstensvol. Behalve de chauffeur en ikzelf waren er nog drie mannen met machinepistolen en een vrouw met de kruisboog. Het was haar eigen boog en ze werd als een specialiste beschouwd. Zij moest de wachtposten in de torens achter de boerderij voor haar rekening nemen. We vertrokken. We zaten geprangd tussen de stukken van elkaars uitrusting. We hotsten over de heideweg en draaiden naar rechts om aan de lange klim te beginnen. Het pantser op de voorruit en al de extra passagiers vormden een zware belasting voor de motor en hij huilde en schokte de steile, bochtige weg omhoog. We hadden geen lichten aan en, hoewel alle andere voertuigen ergens voor ons uit reden, konden we ze niet zien.

Ik zat tussen twee mannen ingeklemd. Ik hield mijn grote draadschaar omkneld en dacht aan Ben. Ik wenste voor de duizendste keer dat voor hem alles anders was uitgevallen, dat er geen kernbommen waren neergedonderd en dat hij gewoon een kleine jongen was die op school leerde lezen. Ze hadden altijd beweerd dat die atoomwapens dienden om onze manier van leven te verzekeren, maar waar was die dan nu?

Ik zat verdiept in deze gedachten als een soort zwever toen het lawaai van een schietpartij weerklonk, ergens voorop. We stopten meteen. Er waren flitsen in de lucht. In het licht kon ik de gezichten van de anderen zien en ik wist dat ze bang waren, net als ik. Het was begonnen en binnenkort zouden we gered zijn, of dood.

We schokten plotseling vooruit, zwenkten naar rechts en toen kon ik de afsluiting van het kamp zien aan de linkerkant terwijl we over de ruwe grond bonsden. Ergens in het kamp was brand uitgebroken en ik zag in een glimp het silhouet van Wagen Twee ertegen afsteken met de wapens als stekels uit de ramen. Onze auto maakte een gierende zwaai naar links, zodat we tegen elkaar aanvlogen, en beklom vervolgens de helling. We raasden de omtrek van het kamp af naar de boerderij en kwamen met een schuiver tot stilstand bij een met draad afgezette poort tussen torens.

"Eruit!" Een maat van Rhodes was bij ons. Hij gooide ons min of meer naar buiten op de hobbelige turfgrond. Een lichtstraal zwiepte neer uit een van de torens en weerkaatste tegen de wagen. We wierpen onszelf plat op onze buik. Een van de mannen vuurde een salvo af en het licht ging uit.

"Komaan!" De man die alle bevelen gaf, sprong overeind en begon de helling op te lopen. We volgden allemaal, met onze werktuigen en wapens. Wagen Drie kwam achter ons brullend in beweging, naar de poort toe. We hoorden de klap, toen hij op de draad inramde.

Hierna volgden de gebeurtenissen elkaar zo vlug op dat het allemaal vaag is als ik erop terugkijk. We werden beschoten vanuit de torens, maar het was vrij donker en niemand werd geraakt. Toen we bij de achterkant van de boerderij aankwamen, was er al heel wat tumult binnen de omheining, met lichtflitsen en geweervuur en geroep. Mijn klus was niet zo moeilijk als ik had gedacht. De schildwachten op de torens keken en schoten naar de binnenkant, en ik was in staat recht op de draad af te gaan zonder te worden beschoten. Terwijl ik begon te knippen, kwam de vrouw met de kruisboog in actie en het vuren uit de torens werd minder. Ik knipte als een razende, ik zweette en knarsetandde, en ik had het gevoel dat de zaken er goed voorstonden. De bedoeling van het gat dat ik maakte, was tweevoudig: voor onze strijdkrachten om zich door terug te trekken als ze werden afgeslagen, en voor ons om door op te rukken als we aan het winnen waren.

En we waren aan het winnen. Ik raakte door de buitenste afsluiting voor er een schot op me werd gelost. Als dat al gebeurde, hoorde ik er niets van door de andere herrie. Er was slechts een zwerm van kleine inslagen op de grond bij mijn voeten en een soort gefluit. Iemand gilde: "Liggen!" en toen kreeg ik een enorme klap op mijn onderarm, alsof iemand me had geschopt. Ik verloor mijn greep op de schaar en wankelde opzij. Iemand voerde een rugby-tackle op me uit van achteren. Ik viel neer in de strook tussen de afsluitingen en haalde daarbij mijn wang open aan de prikkeldraad. De kerel die me had getackeld, grabbelde de schaar en begon te knippen aan de strakke draden terwijl twee anderen de lichten uitschoten. Ik voelde iets vochtigs en met mijn vingers ontdekte ik tot mijn verbazing dat ik bloedde. In het kamp begon de herrie te bedaren. Toen was er een geweldige knal en een verblindende flits, gevolgd door geratel van machinepistolen en heel wat geschreeuw.

De kerel met de schaar keek om naar een van de anderen en riep: "Dat is de raket! Ze bestormen de hoofdpoort!"

Daarna duurde het niet lang meer. Toen ze zichzelf in de rug aangevallen wisten, gooiden de troepen waarmee de mannen van Rhodes bij het huis vochten hun wapens neer en gaven zich over, zodat alles al afgelopen was tegen de tijd dat de mannen met wie ik was meegekomen door de bres binnendrongen. Ikzelf zag er niets van, want ik had een vleeswonde aan mijn arm, verloor bloed en raakte bewusteloos. Het was pas toen ze rondgingen om de gewonden op te pikken dat ze me vonden en me het huis indroegen. Het is vreemd hoe ondramatisch het kan zijn te worden neergeschoten.

33

Toen alles voorbij was, telden we ongeveer zeventig gevangenen. De meesten waren soldaten, al waren er ook vier politiemannen bij, zes kerels van de civiele bescherming en ook een paar vrouwen en kinderen. Booth was omgekomen in het gevecht. Finch was ook dood – getroffen door een afgedwaalde kogel –, maar de meesten van zijn leidersbende hadden het overleefd. Het raadslid mevrouw Walker, zijn voedingsofficier, was verantwoordelijk geweest voor de rommel die in Ramsdenpark werd uitgedeeld en ze had vermoedelijk de zwevers vergiftigd. Lightowler, de voorzitter van het hospitaalbeleidscomité voor de atoomaanval was luitenant van de medische dienst geweest. Stroud, de inlichtingenofficier, had de valse instructies geschreven over het niet-bestaande hospitaal en zo. Kapitein Laycock, de officier van de vrijwillige brandweer met het bevel over de troepen, was nog in leven, evenals de militaire dokter, Renton.

Rhodes wou hen allemaal executeren, behalve Renton, die dokter was. Hij zei dat ze niet verdienden nog te leven en dat enkelen van hen oorlogsmisdadigers waren. Branwell discussieerde met hem. Hij zei dat de soldaten hadden moeten uitvoeren wat hun was opgedragen en dat je geen oorlogsmisdadigers kan hebben als je niet in oorlog bent. Rhodes wou wel eens weten hoe hij kon beweren dat we niet in oorlog waren, als we pas hun vesting hadden aangevallen en ingenomen. En hoe om te beginnen deze 'kleine garnalen', zoals hij ze noemde, een plaatsje voor zichzelf hadden weten te versieren in de diepe schuilkelder. Er was namelijk een diepe schuilkelder onder Kershaw Farm, die al lang van tevoren in het geheim moest zijn gebouwd. Niemand in Skipley wist van het bestaan ervan af. Een of andere maat van Rhodes had Finch erin verstopt gevonden toen het vechten al achter de rug was en had de 'verdwaalde' kogel afgeschoten die een einde maakte aan diens leven.

In elk geval stonden de meeste mensen aan de kant van Branwell, dus daar moest Rhodes het voor het ogenblik mee stellen. Ik maakte dat natuurlijk allemaal niet mee, maar Kim bracht me er later van op de hoogte toen ze bij me op bezoek kwam in de hospitaalbarak.

Twee dagen later begonnen ze de zieken op te halen in het huis van Branwell. Mijn bed hadden ze nodig, dus gooiden ze me eruit met mijn arm in een verband. Ben was meegekomen met het eerste konvooi. Het was fijn hem weer te zien.

Alles lag overhoop door het gevecht en iedereen was druk in de weer met opruimen. De burgerlijke gevangenen hielpen mee, maar de soldaten werden opgesloten in twee van hun eigen barakken, tot er werd beslist wat we met hen zouden doen. Ik kon door mijn arm niet veel uitvoeren, dus werd ik belast met de taak Ben en de andere kinderen bezig te houden zodat ze niemand voor de voeten liepen. We speelden voetbal tussen de barakken van het kamp, wat met de helling niet zo gemakkelijk was, of krijgertje en verstoppertje. Het was warm en er hing een sfeer van optimisme in de aprillucht.

Toen het huis en zijn omgeving in orde waren en iedereen een plaats om te slapen was toegewezen, richtte Branwell zijn aandacht op onze toekomst op lange termijn. Tussen de grote hopen voorraden en levensmiddelen hadden we over het hele kamp heel wat zaai- en pootgoed van allerlei soort gevonden: bonen, aardappelen, koolrapen en dergelijke. Branwell was pachter geweest. Hij wist alles wat je weten moest over het telen van groenten en hij begon ons in te delen in werkploegen om de boerderij die Finch was begonnen, verder te zetten. Iedereen ging graag aan het werk omdat Branwell erop toekeek dat we behoorlijk te eten kregen en er hier geen geweerkolven waren. Mijn arm was aan het genezen. Al spoedig kon ik het stellen zonder mijn verband en mijn plaats op het veld innemen. De kinderen werden toevertrouwd aan Kate, wat erg naar de zin van Ben was.

We haalden de omheining niet neer, voornamelijk omdat we het al zo druk hadden, maar we herstelden ze ook niet en niemand bemande de poorten. Zo gauw ze hoorden van de omverwerping van Finch' regime, begonnen de overblijvende bewoners uit de ruïnes aan te kloppen. Na zo'n drie weken waren we al met ongeveer vierhonderd, de gevangenen meegeteld, en de voorraden slonken. Rhodes bleef vitten en grommen over het feit dat we iedereen opnamen, maar het welslagen van de aanval, samen met het algemene optimisme nu, maakte van Branwell een geliefd leider en niemand lette erg op Rhodes. Hij liet nooit een gelegenheid voorbijgaan om naar te doen tegenover mij, maar het liet me onverschillig. Het was lente. De aarde zat vol leven en Kim begon haar harde houding te verzachten nu het grootste gevaar was geweken. Op een dag, toen ik aan het schoffelen was tussen een paar rijen ontluikende radijsjes, kwam ze naar me toe met een eigenaardige glans in haar ogen.

"Hé, Danny, raad eens?"

Ik keek op en veegde het zweet van mijn voorhoofd met de rug van mijn hand. "Wat?"

"Maureen is zwanger."

"O! Wauw!" Ik wist niet wat ik moest zeggen. Als ik een vrouw was geweest, in de omstandigheden waarin we nu leefden, denk ik niet dat ik een kind zou hebben gewild. Het leek me niet bepaald een wereld om een kind in op te voeden. Toch scheen Kim erg in haar nopjes. Ze zette haar handen in haar heupen.

"Is dat alles wat je zeggen kan, Danny Lodge?"

"Nee. Ik bedoel, het is geweldig, Kim. Als dat is wat Maureen en Mike willen. Het zal toch niet gemakkelijk zijn, hé? Een kind grootbrengen in dit alles?"

Ze bekeek me streng. "Nee, Danny, het zal niet gemakkelijk zijn. Maar het is wat de mensen zullen moeten doen, nietwaar, als het menselijke ras niet wil uitsterven?"

Daar had ik geen antwoord op en na verloop van tijd – het leek wel alsof iedereen in het kamp over niets anders sprak – raakte ik zelf ook nogal opgewonden. Het maakte allemaal deel uit van het gevoel dat we hadden over dingen die weer tot leven kwamen. De feniks die uit zijn as oprees en zo van die zaken.

Een van de mannen vond een gebeitelde steen in een vernielde kerk. Een Groene Man, zei Branwell. Een heidense god met bomen die uit zijn mond ontsproten en overal bladeren rond zijn hoofd: een symbool van de lente, wanneer het leven uit de dood opstaat. We plaatsten het bij de deur van het boerderijhuis omdat dat gepast leek. Zo optimistisch waren we.

Het werd juni. Branwell volgde de kalender die hij zelf had gemaakt. Die begon vanaf de dag na het gevecht, waarvan hij veronderstelde dat dat vijftien april was geweest. Hij wist het natuurlijk niet zeker, maar hij zei dat hij er slechts dagen naast zou zitten, àls hij er al naast zat. Dus zesenveertig dagen nadat we Kershaw ingenomen hadden, was het juni. We hadden heel wat land vrij gemaakt en dat werd allemaal beplant. Koolrapen, aardappelen, bonen, radijs, sla en kool. We hadden ook een paar schrale kippen verzameld, die rondscharrelden in een hok op het erf. Tot nu toe hadden ze nog geen enkel ei gelegd.

We hadden generatoren voor elektriciteit en een behoorlijke voorraad benzine om die aan het draaien te houden. Een paar mannen onderzochten de mogelijkheid om groenten te bewaren door ze in te vriezen en zelfs in te blikken, als ze aan het metaal konden komen. Er was een degelijke radio-uitrusting in een van de kamers boven en die werd de klok rond bemand door mensen die er wat van kenden. Ze trachtten uitzendingen van elders op te vangen en ze zonden zelf uit in de hoop contact te krijgen met andere gemeenschappen of zelfs met de regering. We spraken steeds over de regering en hoe die moest hebben overleefd in haar eigen diepe schuilkelder, maar al wat ze ooit doorkregen, was gekraak.

Branwell liet de soldaten vrij. Laycock, hun commandant, gaf de verzekering dat ze hun medewerking zouden verlenen aan de gang van zaken in ons kamp en geen moeilijkheden zouden veroorzaken. De burgerlijke gevangenen kwamen ook vrij, behalve mevrouw

Walker, de gifmengster. Verschillende mensen hadden gezworen dat ze wraak zouden nemen.

Na hun vrijlating gingen sommige soldaten 's nachts de wacht houden. Gewoonte, vermoed ik, maar er daagde niemand op. Als er al barbaren of purperen in de buurt waren, bleven die wel op afstand. Rhodes bakte zoete broodjes met de troepen en kon uren bij hen doorbrengen in hun barakken met te lachen en kaart te spelen.

Kate en een paar anderen richtten een school op voor de kinderen. Die hadden lang genoeg zomaar losjes rondgelummeld en liepen het gevaar kleine wilden te worden. Ik verwachtte protest en tranen, maar Ben was erg blij dat hij mocht gaan en dat was met de anderen ook het geval. Er waren ongeveer veertien kinderen, tussen vijf en elf jaar oud. De oudere kinderen in het kamp, zij die ouder waren dan elf of twaalf, leidden al lang het leven van een volwassene. Ze hadden geen keuze gehad. Zij waren al goeddeels opgevoed en zouden zeker niet weer naar school gaan, samen met de kleintjes. Ik vroeg Kate wat voor dingen ze zou onderwijzen.

"Lezen," zei ze. "En schrijven."

"Waarom?" vroeg ik. "Er is niets te lezen en naar wie zullen ze schrijven?"

Ze lachte en noemde me een pessimist. "Die vaardigheden mogen niet verloren gaan," zei ze. Branwell vertelde hun heel wat over gedrag en zeden, over houden van en niet vechten en van die dingen, en daar kon ik wel het nut van inzien. Ze brachten ook heel wat tijd door in open lucht met kijken en helpen op het veld, zodat ze zouden weten hoe ze hun eigen voedsel moesten winnen, als het hun beurt was.

Iets anders wat Branwell deed, was een kapel oprichten. Tenminste, hij noemde het een kapel hoewel het eigenlijk gewoon een van de barakken op de helling was. Nieuwe kapellen behoren te worden ingewijd of iets in die zin, maar er was geen priester in het kamp en niemand anders wist hoe dat moest. Hij spijkerde een houten kruis dat hij had gemaakt op de deur en zei dat dat moest volstaan.

Hij kondigde een bijeenkomst aan in de kapel als dankviering.

Na alle verschrikkingen die ons waren overkomen, had ik niet gedacht dat er iemand heen zou gaan, maar het zat nokvol. Ben en de andere kinderen gingen met Kate, maar zelf ging ik niet. Ik zag niet in hoe kernbommen konden vallen, als er daarboven iemand voor ons zorgde.

Kim ging ook niet. We hadden erover gepraat en zij dacht er net zo over. Het was een heldere morgen, de voorbode van een hete dag. We gingen naar de uithoek van het veld beneden en zaten daar uit te kijken over de ruïnes van Skipley tot aan de blauwe heuvels erachter. We babbelden en toen begon het zingen. We waren stil en luisterden. Toen het ophield, stonden er tranen in de ogen van Kim. Ik moest ook een paar keer duchtig slikken. We waren alle twee niet gelovig. Toch denk ik dat we het gevoel hadden dat de kapel en het gezang ons kamp zowat volledig maakten, het veranderden van een kamp in een dorp, zoals het dorp waaruit Skipley was gegroeid. Ik vermoed dat we onszelf zagen aan het begin van iets, een nieuw Skipley misschien. Of een nieuwe wereld, bevolkt met onze kinderen. Kinderen van Branwell, die zouden liefhebben en lachen en niet aan oorlog zouden denken. Ik denk dat het zoiets was en het was prachtig. Ik wou dat we op dat ogenblik de tijd hadden kunnen stilzetten en voor altijd zo waren blijven zitten.

34

Juni maakte plaats voor juli. Geleidelijk aan kwam ons leventje wat tot rust en een soort genezingsproces begon in onze hoofden. Je kon het voelen. Gemoederen die crisis na crisis te verduren hadden gekregen, telkens onder hoge druk door het voortdurende gevaar, begonnen zich te ontspannen. We schoffelden tussen de rijen nog onzichtbare gewassen, waarvan de plantlijnen waren aangeduid met tussen paaltjes gespannen banen twijngaren. We bikten stenen, verzamelden de mest van de kippen en van Branwells ezel, en schraapten bestraalde bovengrond weg om de oppervlakte van ons akkerland te vergroten. We praatten over de baby van Maureen, noemden die 'van ons'. "Ons eerste kind," zeiden we. "Het eerste van velen."

De rantsoenen waren pover. Er kwamen geen nieuwe mensen meer bij en er was een trage, maar afschuwelijk zekere tol van nieuwe dodelijke slachtoffers van de verwoesting door bestraling. Maar toch zou de voorraad die we hadden nog voor een paar maanden toereikend moeten zijn, tot de eerste oogsten. We voelden ons meestal hongerig, maar we raakten eraan gewend.

De barakken waren ingedeeld in drie categorieën: alleenstaande vrouwen, alleenstaande mannen en gehuwden. Sommige kinderen hadden geen ouders meer en zij werden ondergebracht in een aparte barak onder de hoede van Kate en een andere vrouw. Nu alles geordend begon te verlopen, wilden nogal wat paartjes trouwen in de kleine kapel. Vanzelfsprekend werden ze niet ècht getrouwd, maar de oude Branwell sprak een paar woorden over hen uit en de mensen zongen. We deden ons best om het toch een min of meer feestelijk tintje te geven. Op een dag, terwijl we bij zonsondergang van het veld kwamen, praatte ik met Kim.

"Luister, Kim. Je weet wat ik voor je voel en jij zei dat je ook van me hield. Waarom trouwen we niet? We konden dan Ben uit de kinderbarak halen en een gezinnetje vormen. Wat denk je daarvan, hé?"

Ze zei een tijdje niets. In onze groezelige plunje liepen we dood-moe in de richting van de gebouwen, met onze schoffel over de schouder. Om ons heen liepen nog anderen, afzonderlijk of in groepjes, rustig te keuvelen of in gedachten bezig met de maaltijd die we straks zouden krijgen. Toen we de omheining passeerden, sloeg ze af en leidde me naar beneden achter de rij barakken voor de vrouwen. Ze haakte haar vingers in de draad en stond te kijken naar het veld. Na een ogenblik merkte ik dat ze huilde.

"Hé...," fluisterde ik. "Wat heb je? Wat heb ik gezegd?" Ze schudde het hoofd zonder me aan te kijken. "Niets. Ik ben bang, dat is alles."

"Bang? Waarvoor? Ik wou je niet bang maken. Wat heb ik in 's hemelsnaam gedaan?" Ze schudde weer het hoofd.

"Jij deed niets. Het is Maureen. De baby. Ik ben bang voor de baby."

Ik legde mijn vuile hand op haar arm. "Met Maureen zal alles wel loslopen, Kim. Dokter Renton houdt een oogje in het zeil. Is er iets met Maureen of zo?"

Ze duwde haar voorhoofd tegen de mazen. "Nee. Niets opvallends."

"Wel dan!" Ik schoof dichterbij en legde mijn arm om haar schou-ders. Ze schudde hem af en draaide in een ruk haar gezicht naar mij. Haar wangen zaten vol vlekken, tranen en stof, en ze had een bibber in haar stem.

"Heb jij ooit gehoord van Hirosjima, Danny?"

"Natuurlijk. Wie niet?"

"Heb jij erover gelezen? Over wat er met de mensen gebeurde?"

"Ja. Het was erg, Kim, echt erg, maar het haalt het niet bij wat de wereld nu is overkomen. Waarom praten we over Hirosjima, Kim?"

Ze draaide zich weer naar de afsluiting toe om haar gezicht voor mij te verbergen. "Ik heb het niet over wat er onmiddellijk gebeurde. Ik bedoel, wat er achteraf volgde. Ik heb het over de baby's."

"De... O, Kim." De baby's. De baby's van Hirosjima. Ik had wel degelijk over hen gelezen. Baby's zonder beentjes, zonder armen, zonder maag. Baby's met twee hoofden. Veertig jaar later werden ze nog zo geboren. Ik wilde haar vastnemen, maar ze wrong zich los.

"Nee! Dat wil ik niet. Dat helpt niets. Ik wil dat je me zegt dat het met de baby van Maureen niet zo zal zijn. Ik wil dat je zegt dat het gezond zal zijn. Het eerste van velen. Dat is het wat ik wil, Danny!"

Ik bleef maar naar haar kijken en wist met mijn armen geen blijf. Ik stond met mijn mond vol tanden. Waarom had ik er geen ogenblik aan gedacht dat het kind misvormd ter wereld zou kunnen komen, door de straling die Maureen had opgelopen? Misschien was de gedachte wel bij me opgekomen, maar had ik die verdrongen, geweigerd erover te piekeren. Kim keek me over haar schouder beschuldigend aan.

"Wel? Kan je dat, Danny? Kan jij zeggen dat het gezond zal zijn? Kan jij mij zeggen waarom jij er niet al die weken over aan het dubben bent geweest, zoals ik? Waarom je me aan het aanporren bent om met jou te trouwen, zodat we ook een monster kunnen maken?"

Ik staarde naar de grond. Ik had geen antwoord dat zinnig klonk. "Ik heb erover nagedacht," zei ik. "Alleen heb ik het voor mezelf gehouden, begrijp je? We moeten hopen, Kim. Er waren ook normale baby's in Hirosjima."

"Niet veel." Ze draaide zich weer weg en haar stem klonk mat. "Zelfs niet met de beste medische bijstand van de wereld. En zoals je zei, toen was het niets, een klein bommetje. Ga jij maar door met hopen, als je kan. Verwacht alleen van mij niet dat ik het verstop in een vergeten hoekje van mijn gedachten, om hals over kop met jou te trouwen en nog lang en gelukkig te leven..."

Ik weet niet wat ik daarop zou hebben geantwoord als Ben niet was komen aanlopen met de vraag waarom we ons niet begonnen op te frissen om aan tafel te gaan. Hij gaapte Kim aan zoals kinderen doen als ze een volwassene zien huilen. Ik legde mijn hand om zijn ruige achterhoofd en stuurde hem terug. Hij bleef omkijken.

"Wat heeft ze?" vroeg hij.

Ik schudde het hoofd. "Niets, Ben. Ze is wat overstuur, dat is alles." Hij zweeg een ogenblik en zei toen: "Denk je dat ze dit graag zou zien? Tim en ik vonden hem onder de schoolbarak." Hij viste in zijn zak en haalde een ineengefrommelde zakdoek van een vuist groot te voorschijn. Ik liep door en terwijl hij naast me meetrippelde, deed hij de zakdoek open en hield hem mij voor: "Kijk."

Ik keek. In zijn vuile handpalm lag een vlinder te zieltogen. Eerst hield ik hem voor twee vlinders. Maar toen ik een tweede keer keek, riep ik het uit van afschuw en klopte hem uit zijn hand. Hij viel in een spiraalbeweging neer op de grond en fladderde tevergeefs met zijn zeven misvormde vleugels.

35

In augustus was het heet. De bommen hadden wat uitgehaald met de atmosfeer. De zon kwam op in een vurige waas. Daarachter brandde ze de hele dag als een enorme, donzige bal. Het bracht ook de radio in de war. De soldaten aan de luisterapparaten werden half doof van het onophoudelijke hallucinante gekraak. Niet dat er nog wat anders was om naar te luisteren. Ze hadden de golfbanden uitgekamd, afgestemd op alle mogelijke frequenties en er was niemand geweest. Het gevoel dat we alleen op de wereld waren groeide.

Er waren geen vogels. Het had lang geduurd voor ik dat opmerkte en toen ik dat eenmaal deed, kon ik me niet herinneren of ik er nog had gezien na de atoombommen. Vermoedelijk waren ze allemaal uitgeroeid die dag dat het gebeurde. Of misschien waren ze simpelweg geleidelijk aan uitgestorven. In elk geval waren er nu geen meer.

En vroeger kon je in augustus over een vallei heen kijken. Alles wat je aan de overkant zag, was groen, verschillende tinten groen, met hier en daar een geel vierkant waar graan groeide of raapzaad. Ook dat was voorbij. Kijken over de vallei waarin Skipley lag, was net als kijken naar een of andere plaats in Noord-Afrika of zo. Niets dan rood en bruin en geel, met klompjes zwart waar dode bomen stonden. Ik denk dat het ons had moeten waarschuwen, maar we hadden er geen erg in. We waren allemaal zo druk bezig met de zorg voor onze eerste oogst. We merkten niet dat er nergens meer iets groeide.

We maakten van die geweldige, elektrische stormen mee en de regen deed onze zaden zo ontkiemen dat de donkere, natte grond doorkruist raakte met rijen frisse, groene scheuten. We verwijderden de twijndraden en zwaaiden als bezeten met onze schoffels om het onkruid weg te hakken dat zich tussen de voren in naar boven duwde. Het kleine stenen beeldje bij de deur van het boerderijhuis was ons naar het hoofd gestegen en we werden verblind door ons eigen optimisme. De Groene Man. Leven na de dood. Waar voedsel is, is hoop.

Maar toen de kleine plantjes groter werden, werd het zelfs ons duidelijk dat ze er niet uitzagen zoals het hoorde. De meesten van ons waren stadslui, maar zelfs een stadsmens weet hoe raapstelen eruitzien. Deze schoten wat ineengeschrompeld op en ontplooiden zich niet zoals ze moesten. We hadden rietstokken met touwen, waartegen de bonen konden opklimmen, maar ze vertikten het. Ze kwamen zo'n halve meter hoog, werden toen slap en kronkelden langzaam over de grond als zieke, bruine wormen. Er hadden bloemen aan moeten komen, maar er kwam er niet één te voorschijn.

We werkten vertwijfeld verder, maakten onszelf wijs dat het alleen het loof was. Daaronder zouden de knolrapen en de koolrapen en de aardappelen best in orde zijn. Geen bonen misschien, en geen kool, maar bergen aardappelen. In andere landen leefden ze gewoon van aardappelen.

Op een morgen, toen we al ongeveer een uurtje aan het werk waren, kwam Branwell naar buiten met Rhodes, kapitein Laycock en dokter Renton. Ze kuierden langzaam de voren op en af, plukten aan de bladeren en rolden ze tussen hun vingers. Al die tijd praatten ze gedempt onder elkaar. Iedereen deed alsof hij hard aan het werk was, maar alle ogen waren op de vier mannen gericht tijdens hun sombere inspectietocht. Misschien klampten we ons nog vast aan een laatste strohalmpje hoop, dat de zaken er niet zo slecht voorstonden als ze leken. Als dat zo was, werd die vlug de bodem ingeslagen. Branwell bukte zich, grabbelde een handvol bladeren samen en trok een koolraap uit.

Het was helemaal geen koolraap. Aan het einde van de stengels bengelde een grijze, vormeloze massa, ongeveer zo groot als een tennisbal. De oude man smeet hem van zich af met een gesmoorde kreet, trok er een andere uit en hield die zo omhoog dat de anderen de brok wratachtig vruchtvlees konden zien.

Ze begonnen ook aardappelplanten en knolrapen uit te trekken. Alles was precies eender. De knolrapen waren kleiner dan de koolrapen en net zo afzichtelijk. Aan de aardappelplanten groeide helemaal niets, alleen een verstrengeld hoopje zieke wortels met klonters klei eraan vast. Uiteindelijk richtte Branwell zich op en keek ons aan. We waren opgehouden te doen alsof we werkten en stonden met de moed in onze schoenen te leunen op onze schoffels. Het was een groot veld en hij moest roepen opdat we hem allemaal zouden horen.

"Het spijt me," zei hij, "maar zoals jullie kunnen merken, ontwikkelen onze groenten zich niet naar behoren. Mijnheer Rhodes en ikzelf hebben zoiets al verscheidene dagen vermoed en ik geloof de meesten van jullie ook. Het kan zijn dat we de bovenlaag van de aarde niet grondig genoeg hebben weggeschraapt of misschien werden de planten aangetast door straling, die meeviel met de regen. Hoe dan ook, ik vrees dat het geen zin heeft om er verder onze tijd en onze energie aan te verspillen. Ik zou jullie toch willen vragen niet te zeer ontgoocheld te zijn. We hebben genoeg voedsel voor meerdere maanden, als we voorzichtig zijn, en mijnheer Rhodes heeft een paar ideeën over herbevoorrading van onze gemeenschap als voorbereiding op de winter." Hij brak af, sprak kort met zijn drie gezellen en voegde eraan toe: "Als jullie nu willen terugkeren naar jullie kwartieren, zullen we over ongeveer een uur samenkomen om de situatie te bespreken. Dank u."

We trokken in troepjes terug naar de gebouwen. Haast niemand zei een woord. We gooiden ons nutteloze gereedschap op een hoopje bij de poort en verspreidden ons, ieder in de richting van zijn eigen barak. De kinderen kwamen uit de school met hun lerares, om te vragen waarom we zo vlug terugkeerden. Iemand bracht Kate op de hoogte. Zij vertelde de kinderen dat er niets aan de hand was en leidde ze weer naar binnen. Ben keek naar me om terwijl hij naar binnen ging. Ik kon raden dat hij begreep dat er iets ergs aan de hand was.

De kapel zat propvol voor de vergadering en velen van ons

moesten buiten blijven luisteren. Slechts enkelen hadden een idee om de nieuwe situatie het hoofd te bieden. Branwell zei dat de rantsoenen nog verder zouden moeten worden beperkt, behalve voor de zieken. Toen hij zei: "Behalve voor de zieken," kreeg hij een vlammende blik van Rhodes, die hij niet opmerkte. De opvatting van Rhodes was er zo een die je van hem kon verwachten. Hij stelde voor in ploegen op strooptochten uit te trekken voor proviand, "waar die ook kon worden gevonden." Hij bedoelde, zelfs als we daarvoor mensen moesten doden. Ik kon van Branwells gezicht aflezen dat hij erg in de put zat, maar dat was toen met iedereen het geval. Rhodes vertelde ons dat hij vrijwilligers zou vragen vanaf de dag daarop en dokter Renton merkte tussendoor even op dat hij die strooptochten in ieder geval een goed idee vond omdat de voorraad medisch materiaal ook begon te slinken en dat kon je niet op een akker kweken. Als het een poging tot humor was, was het een mislukking.

We gingen uit elkaar. De meesten van ons gingen op hun bed liggen. We hadden het echt wel geweten, denk ik, maar nu het officieel was, viel het volle gewicht ervan op ons en vervulde ons met wanhoop. Na al die verschrikkingen van het voorbije jaar hadden we gedacht dat er eindelijk verbetering kwam. Nu zag het ernaar uit dat we bijna helemaal van voren af aan konden beginnen. We zouden weer moeten gaan rondscharrelen door de woestenij om iets te eten te vinden. Met één oog over onze schouder voor barbaren en purperen. Rondzwerven in gebieden met hoge straling zonder het te weten.

We waren neerslachtig en wimpelden de vragen van de kinderen af toen de school die dag uit was, en slenterden met loden voeten naar de refter voor ons karige maal. Het was een trieste bedoening. Ik was net gaan zitten met Ben toen Kim binnenkwam. Ze leek door het dolle heen. Ze keek om zich heen tot ze me in het oog kreeg en kwam toen op mijn tafel af met iets in haar hand. Terwijl ze zich een weg baande door de smalle en dichtbevolkte gangpaden, zag ik dat ze een misvormde koolraap bij zich had. Ze hield halt bij het einde van de tafel en leunde eroverheen. Het ding liet ze vlak voor mijn gezicht bungelen. Er gloeide een koortsachtig licht in haar ogen.

"Zie je dat, Danny Lodge?!" Haar hand met de raap beefde. De hele zaal was opgehouden met eten en keek naar haar. "Weet je wat dat is, hé? Wel, ik zal het je vertellen. Het is een koolraap, maar het is niet zo'n doodgewoon koolraapje van alledag. O, nee! Het is een hirosjimakoolraap, Danny lief, en zo hebben we ook hirosjimaknolraapjes, hirosjimaboontjes, hirosjimapiepertjes en rotte hirosjimakool. En o, ja, dat was ik haast vergeten: hirosjimababy's. We kunnen een leuk hirosjimababy'tje voor je maken, als je wil." Ze deed een stap achteruit, haar ogen flitsten de zaal rond en ze gilde: "Het eerste van velen!" Toen slingerde ze de koolraap van zich af, draaide zich om en liep huilend de zaal uit.

36

Ik vond haar beneden bij de uitgang van het kamp, waar de draad was doorgesneden die nacht toen we de boerderij innamen. Branwell had er een soort stalletje gebouwd voor de ezel en ik wist dat ze graag af en toe bij het dier langsliep.

Het schemerde. In het stalletje was het erg donker. Er hing een zoete geur van vers hooi. Ze zat op een omgedraaide emmer met een arm over de schonken van de ezel geslagen en haar hoofd rustte tegen zijn flank. Met zijn teugels rond een paaltje gebonden stond de ezel geduldig te kauwen met zijn kop naar beneden. Ik aarzelde in de deuropening. Ik wist niet of ik welkom was en wou haar niet storen. Maar ik moet toch een geluid hebben gemaakt, want ze draaide plotseling haar hoofd om en zag me staan.

"Hoe lang sta je daar al?" Haar stem klonk onvast, alsof ze lang had gehuild. Terwijl ik een paar stappen vooruit deed, zag ik dat het vel van de ezel nat was op de plaats waartegen ze haar wang had gelegd.

"Ik kwam net aan. Ik heb je overal gezocht. Voel je je al beter nu?"

Ze keek de andere kant op. "Ja, ik denk het wel," zei ze hees. "Het spijt me dat ik je zo toesnauwde. Ik weet niet waarom ik het deed. Ik zal nooit meer in die refter kunnen komen en ik weet niet wat ik moet zeggen tegen de anderen in de barak vanavond. Ze hebben het allemaal gezien."

"Het was niet erg," zei ik. "Ze zullen het begrijpen. Het was waarschijnlijk nog niet bij hen opgekomen. Zoals bij mij. Ze zullen het nu begrijpen." Ik wou haar troosten. Ze zag er zo jong uit, zo tenger en dun, in haar groezelige jeans en haar gescheurde ruitjes-hemd. Ze had in haar gedachten bezig moeten zijn met disco's en vriendjes en examens, niet met radioactieve neerslag en misvormde baby's. Ze wreef haar wang op en neer tegen de flank van de ezel.

"Denk je dat? Denk je dat ze het zullen snappen? Ik wou dat het zo was, want je weet niet hoe het is, Danny. Er zijn er zo'n negen-entwintig in mijn barak. Negenentwintig, en al wat ze tegen me zeggen, is: 'Jij zorgt wel voor dat zusje van jou, niet? Er zou toch niets mogen gebeuren met haar en de baby, niet? Wat wil je dat het wordt, een jongen of een meisje?' En al die tijd door tracht ik maar die beroerde baby uit mijn hoofd te zetten, om 's nachts een oog te kunnen dichtdoen. De laatste keer dat iemand me dat laatste vroeg, antwoordde ik: 'Ja, ik hoop dat het een jongen of een meisje wordt,' maar ze snapten het niet. Ze vroegen maar door."

Ik knielde neer in het hooi naast de emmer, strekte mijn arm uit en begon haar hoofd te strelen. Ze hield haar gezicht tegen de flank van de ezel en trok zich niet weg.

"Ik weet dat ik gemakkelijk praten heb," vertelde ik haar, "maar je moet ophouden met altijd maar te piekeren. Zo maak je jezelf knettergek en je kan er toch niets aan veranderen. Je weet dat alles nu al is beslist, op een of andere manier. We kunnen alleen maar hopen, Kim, dat is alles wat we kunnen doen."

"Ik weet het. Ik weet dat er niemand iets aan kan doen. En dat is het afschuwelijkste van de zaak: wachten. Ik doe al weken niets anders en ik ben moe en bang en ik ben het kotsbeu. O, Danny!" Ze draaide zich om en sloeg haar armen rond mijn nek en wurmde haar natte gezicht tegen mijn hals. "Wat zal er met ons gebeuren? Hoe zal het eindigen, Danny?"

"Niet met een knaller, maar met een sisser." Ze was klein in mijn armen, benig en beverig als een jong vogeltje.

"Wat?" Ze hief haar hoofd een beetje op, zodat ik haar adem voelde op mijn oor.

"Het is een citaat. Laat maar."

"Oh. Ja, ik heb het vroeger al eens gehoord. Zeg zoiets niet."

"Sorry. Branwell deed hetzelfde met mij, lang geleden. We stonden te kijken naar het graf van moeder."

"Wat zei hij?"

"Hij citeerde iets: 'Hij die zijn broeder in de aarde plaatst, is overal'."

"Wat betekent dat?"

Ik haalde de schouders op tegen de druk van haar armen in. "Het betekent dat overal op de hele wereld mensen hun broeders aan het begraven zijn. Sinds hij dat heeft gezegd, heb ik Ben onafgebroken in het oog gehouden als een havik. Gekeken naar symptomen van straling. Zo zie je dat ik maar al te goed besef wat het is, je zorgen te maken."

"Ja. Het spijt me. Als je echt over iets loopt te piekeren, heb je de neiging om te denken dat je de enige bent. Ik voel me nu beter, Danny. Beter dan ik me in lange tijd gevoeld heb."

"Denk je niet dat je naar dokter Renton moet? Eens horen of hij wat voor je heeft om te slapen?" Ik weet niet waarom ik dat zei. Ik voelde me vertederd en week en warm en opgewonden, alles tegelijk.

Ze kneep in mijn hals. "Nee. Niet nu. Laten we hier gewoon zo een tijdje blijven zitten en dan zal ik wel in orde zijn. Ik wil echt wel je meisje zijn, weet je?"

"Daar ben ik blij om."

Hoe lang we daar zouden zijn gebleven als niets ons had gestoord, weet ik niet. Ik tilde haar zowat half op en legde haar naast mij in het hooi. Terwijl we elkaar zoenden, duwde ik zachtjes, tot ik met mijn arm onder haar hoofd lag en zij met haar beide armen om mijn hals. We kusten, lang en warm, tot ze plotseling haar hoofd afwendde en siste: "Ssst! Luister!"

Ik had geen zin om te luisteren. Ik volgde haar mond en trachtte mijn lippen erop te drukken. Ze liet mijn hals los en duwde mij weg. "Nee. Luister."

Ik ging overeind zitten, met een frons van ergernis. Kim zat ook rechtop. Ik luisterde. Er was een motor, een heel eind weg. Die kwam misschien de weg op vanuit Skipley.

"Het is een motor. Niets speciaals." Ik wou me weer helemaal overgeven aan de roes van een ogenblik geleden. Ik voelde hoe die wegglipte.

Kim keek me aan, met grote ogen in de schemering. "Zijn er motors van ons buiten?"

Ik schokte met mijn schouders. "Geen idee. Waarom?"

Ze krabbelde overeind en borstelde het hooi van haar zitvlak. "Omdat, als er geen buiten zijn, het van iemand anders is, daarom! Het klinkt... op een of andere manier anders. Luister..."

Ik stond op en luisterde, met mijn gezicht naar de deuropening, waar een gordijn van zakkengoed voorhing. Het geronk was nu dichtbij. Heel dichtbij, en op de achtergrond dacht ik dat ik een gezwiep kon horen, zoals wanneer iemand iets aan een draad boven zijn hoofd rondzwiert. Mijn hart bonsde tegen mijn ribben en ik stond een ogenblik met mijn mond open. Ik kreeg er geen woord uit. Het geluid zwol aan, tot het leek of het ding buiten vlakbij was.

Het zakkengoed rimpelde en waaide naar binnen en iemand riep vanuit de gebouwen. Kim staarde me aan, haar gezicht vol ongeloof. "Het is een..."

"Helikopter!" Ik rende naar de deur, rukte het gordijn opzij en we tuimelden naar buiten, keken omhoog.

Daar hing hij te grommen, zwart tegen de schemerlucht, langzaam draaiend om zijn as, alsof iemand daarbinnen ons zorgvuldig opnam. Mensen stormden uit hun barakken, riepen en zwaaiden met hun armen, hun gezicht naar omhoog in de luchtstroom van boven, die hun ogen prikte en hun ongekamde haren opwierp.

Het toestel draaide traag drie keer helemaal rond en vloog toen, met de neus naar beneden, weg over de omheining in de richting van Skipley. Kreten van ontgoocheling volgden op zijn vertrek. Iedereen rende naar de poort en liep over de helling te molenwieken en te wuiven, turend naar het knipperende, groene navigatielicht dat alsmaar zwakker werd tegen de heuvels aan de andere kant van de vallei. Toen we het niet langer konden zien, verspreidden we ons in druk pratende en gesticulerende groepjes of dwaalden verbijsterd in ons eentje weg, niet in staat te geloven wat we hadden gezien.

Het is niet mogelijk precies te beschrijven wat de komst van die helikopter bij ons aanrichtte. Het gooide op slag zowat alles overhoop. Het was het einde van het leven zoals wij dat waren beginnen te verwachten, een glimp van een wereld waarvan we dachten dat die voorgoed voorbij was. We verdrongen elkaar en spraken allemaal tegelijk. De lucht was vol van wel duizend gissingen. Het was een Britse helikopter, gezonden door de regering om ons te redden. Hij was van de Russen en morgen zouden vijandelijke soldaten de boerderij komen bezetten. Een of andere grappenmaker zei dat het de helikopter was van een projectbureau, dat het terrein kwam inspecteren voor de aanleg van een woonwijk. Uiteindelijk, na ik weet niet hoe lang, kreeg Branwell ons rustig genoeg om een vergadering aan te kondigen in de refter en daar troepten we samen, lachend en pratend. Ik ging erheen met Ben op mijn schouders en mijn arm om Kims middel, en tranen van geluk of opluchting rolden over mijn wangen. Ik schaamde mij er niet voor. Ik was niet de enige.

Rhodes had door zijn verrekijker naar het hefschroefvliegtuig gekeken en het was Zwitsers. Toen Branwell dit had aangekondigd, begon iedereen iedereen te zeggen dat zoiets voor de hand lag. De Zwitsers hadden diepe schuilkelders, genoeg voor iedereen, in de bergen. Ze hadden overleefd en nu waren ze hier om ons te redden, om ons te bedelven onder gecondenseerde melk en chocolade en koekoeksklokken. Om het even welke redder zou hartstochtelijk zijn verwelkomd, zelfs een zogeheten 'vijand', maar het feit dat we waren gevonden door de Zwitsers vormde het toppunt van verrukking, het kleine vaatje brandewijn om de nek van een sint-bernardshond.

Ik ben vergeten wat er voor de rest nog werd gezegd op die vergadering. Iets over in alle kalmte wachten op de redding en die op een waardige manier tegemoet treden. We zaten versuft en beroesd, als kinderen op de laatste dag voor de vakantie, en toen Branwell ons ten slotte liet gaan, juichten we hem toe met tranen in onze ogen en we zongen 'Lang zal hij leven!'. We liepen naar buiten voor een paar buitelingen en om ons te oefenen in het jodelen. Het werd een lang feest, een korte slaap en een rauw ontwaken.

37

Ze kwamen halverwege de middag de weg opdreunen in een jeep en een vrachtwagen terwijl een helikopter, een grote, boven onze hoofden zweefde met aan alle kanten geweren eruit.

We waren allemaal naar buiten gekomen om onze redders te begroeten, iedereen behalve de zieken. We stonden dicht op elkaar iets buiten de omheining. De meesten van ons voelden zich niet zo lekker. We hadden de avond voordien de overblijvende voedselvoorraden bovengehaald en onszelf volgepropt, en dat waren we niet gewend. We hadden een korte, ongemakkelijke nacht gehad, niet in staat te slapen van opwinding en overdaad. Nu we de soldaten uit de vrachtwagen zagen springen, bekroop ons het vage gevoel dat alles niet verliep zoals het hoort. Hier en daar stak wat gejuich op, maar het was niet zo'n uitzinnige verwelkoming als we die ons hadden voorgesteld.

De soldaten vormden een halve cirkel en kwamen langzaam voorwaarts met hun wapens op ons gericht. Ik denk dat wij visioenen hadden gehad van lachende kerels in korte leren broeken met bretellen. Toen ze ongeveer tien meter van ons af stonden, stopten ze. Niemand lachte. Een van hen kwam naar voren. Hij droeg iets wat eruitzag als kapiteinssterren op zijn epaulet. Hij had ook een pistool in zijn holster. Hij zei: "Wie heeft hier de leiding?"

Branwell stapte uit onze rangen naar voren. "Die heb ik, denk ik. Sta me toe namens ons allen te zeggen dat het ons een groot genoegen is u te zien."

De officier boog flauwtjes het hoofd, maar er kon geen lachje af. "Dank u. U bent de commissaris?"

Branwell schudde van nee. "Nee. Ik ben... raadsman, vermoed ik, voor deze mensen. Er is hier geen commissaris."

"O?" De officier trok de wenkbrauwen op. "Is dit niet het subregionaal hoofdkwartier? Subregio 2.1?"

"Dat was het," antwoordde Branwell. "We waren genoodzaakt het over te nemen."

"Waarom?"

Branwell schokte met zijn schouders. "Dat is een lang verhaal, kapitein. Laat ons erover praten in het huis. We kunnen wel wat koffie schenken, vermoed ik."

"Beslist niet!" De stem van de kapitein klonk koud. "Ik zie een officier in uniform. Daar, achter u." Hij wees. "Wie bent u, mijnheer? Waarom spreekt u niet in naam van deze mensen?"

Kapitein Laycock stapte vooruit. Zijn uniform hing aan flarden en zijn haar krulde over zijn oren. Naast zijn Zwitserse collega leek hij wel een vogelverschrikker.

"Ik was de bevelhebbende militaire officier hier, kapitein. Mijn naam is Laycock."

De Zwitserse officier bekeek kapitein Laycock koeltjes. "Waarom hebt u de leiding niet meer, kapitein? Werd u... uit uw commando ontheven?" Kapitein Laycock schudde het hoofd.

"Nee, kapitein, dat werd ik niet. Mijn mannen en ik werden gedwongen ons aan deze mensen over te geven. Ze waren toen bewapend en ze kwamen onder dekking van de duisternis. De commissaris was... zijn bevoegdheid te buiten gegaan, mijnheer."

"Werkelijk?" Er zat op dat gezicht van die officier een spottend trekje dat me deed denken aan Rhodes. "U gaf zich over en toch ziet u er niet uit als een krijgsgevangene. Uw mannen doen nogal losjes mee met de rest, dunkt me. Ik denk dat u hebt meegewerkt met uw overwinnaars, kapitein."

Laycock boog het hoofd. "Dat is waar, kapitein. We hebben allemaal moeten samenwerken om te overleven."

"Ik begrijp het," zei de kapitein. "Dan is deze inrichting iets wat we een commune zouden kunnen noemen?"

Laycock knikte: "Ja, ik veronderstel van wel."

"Commune, als in... communist?"

"Nee! Ik bedoel... voor de drommel, nee! U verdraait mijn woorden."

"Nee, dat doe ik niet. U achtte het noodzakelijk dit hoofdkwartier te besturen volgens communistische opvattingen, in plaats van volgens de principes opgelegd door uw regering."

"Nee. Ik heb het al uitgelegd. Het was nodig..."

"Het was uw plicht uw commissaris te beschermen, kapitein. En als u krijgsgevangene werd, was het uw plicht te ontsnappen. Met hoevelen bent u hier?"

"Wat?"

De kapitein flapte zijn hand in onze richting. "Is dit iedereen of zijn er nog anderen?"

"Er zijn nog anderen," zei Laycock. "De zieken. Als de Britse regering op de hoogte wordt gebracht van de omstandigheden, ben ik ervan overtuigd dat iedereen hier onmiddellijk van blaam wordt gezuiverd."

De kapitein lachte, een kort krassend geluid. "Er is geen Britse regering. We moeten een telling houden."

"Wat?"

"Een telling. De aantallen hier. En hou op met dat 'wat'."

Hij draaide zich om en blafte iets tegen zijn manschappen. Vier soldaten slingerden hun geweer over hun schouder en renden op hem toe. Hij sprak kort, met gebaren naar ons en het kamp. Twee mannen gingen naar de poorten. De andere twee begonnen ons al tellend van hier naar daar te duwen. Branwell liep op de kapitein toe.

"Wilt u ons alstublieft zeggen wat er aan de hand is?" vroeg hij. "Moeten we hier blijven wachten of gaan we met u mee?"

De Zwitser bekeek de oude man koel. "U blijft hier, natuurlijk. Wat denkt u dat ik kan aanvangen met een stelletje vervallen Engelsen? Ze laten opmarcheren naar Bern?"

Branwell negeerde het sarcasme. "Zullen we voedsel krijgen en geneesmiddelen?"

"Misschien," antwoordde de Zwitser. "Dat kan nog wel even duren. En ondertussen moet ik mijn telling afmaken en verslag uitbrengen bij mijn oversten. Ga dus alstublieft uit mijn weg." Hij deed de oude man opzijgaan en schreed op het kamp toe. De twee soldaten waren klaar met ons te tellen. Ze sloten zich achter hem aan.

Branwell stond hen achterna te gapen met verdriet in zijn ogen en een soldaat kwam hem terug in het gelid porren. De helikopter was ergens binnen de omheining geland. We stonden daar maar stom in de monden van hun vuurwapens te staren terwijl de kapitein en zijn mannen heel onze inboedel natrokken. Hij telde de zieken, rommelde hier en daar wat rond in de magazijnen en zette al onze wapens op een hoop terwijl hij voortdurend aantekeningen maakte in een klein notitieboekje. Hij had Laycock met zich meegenomen om hem te tonen waar alles was en die vertelde ons er achteraf over.

De operatie nam ongeveer twee uur in beslag. De kinderen werden ongedurig. Een aantal van hen wilde naar het toilet, maar toen Branwell de soldaten erom vroeg, deden die net of ze hem niet hoorden. Misschien verstonden ze geen Engels. In elk geval, tegen de tijd dat de kapitein terugkwam, hadden sommigen een natte broek en heerste er heel wat machteloze woede. Van zodra hij door de poort kwam, riep Branwell uit: "Kapitein, wij zijn Britse staatsburgers en u behandelt ons als misdadigers! Bent u van plan ons te helpen of niet?"

Er klonk een knal en een geraas. Ergens achter ons was de motor van de helikopter aan het starten. De kapitein moest zijn antwoord schreeuwen.

"De term 'Britse staatsburger' heeft geen betekenis meer," brulde hij. "Er zitten groepen zoals deze hier over heel Europa. U moet uw beurt afwachten!" De helikopter rees op van achter een rij barakken en hij moest zijn pet vastgrabbelen, want anders zou die afwaaien. Hij draaide zich om en liep naar de jeep. De soldaten volgden. Ze liepen eerst achteruit terwijl ze ons in bedwang hielden met hun wapens. De helikopter ranselde boven ons rond tot de Zwitsers in de voertuigen zaten. Toen zwenkte hij de helling af naar beneden en vloog weg over de vallei. De jeep stoof vooruit de weg af en de vrachtwagen volgde. We stonden ze na te kijken en toen we uiteindelijk weer het kamp inslenterden, merkten we dat ze de voertuigen onklaar hadden gemaakt en onze wapens meegenomen.

38

Branwell riep ons samen in de kapel. Hij zag er vermoeid en bedroefd uit, en op een of andere manier ook kleiner dan voordien.

"Er is geen eten," zei hij, "omdat ik het ons gisterenavond als een idioot allemaal heb laten opeten. Er zijn ook geen wapens. Mijnheer Rhodes en een aantal van zijn mannen en vrouwen hebben aangeboden er buiten naar te gaan zoeken. Ze zullen te voet moeten gaan, want de Zwitsers haalden de rotors uit onze voertuigen. Ze weten niet hoe ver ze zullen moeten reizen en ook niet hoe ze zichzelf onderweg zullen beschermen. Toch zijn ze bereid te gaan en ik moet het hen laten proberen omdat het onze enige kans is.

Terwijl zij weg zijn, moeten wij die achterblijven volhouden, zo goed we kunnen. We hebben zuiver water. We zullen moeten rondsnuffelen naar eten en zelf wapens vervaardigen om ons mee te behelpen. We moeten voorrang verlenen aan het voeden van de kinderen en de zieken. Het is mogelijk dat de Zwitsers vlug terugkomen, maar als dat niet zo is, zullen we samen moeten werken zodat, wanneer mijnheer Rhodes en zijn ploeg terugkeren, we helemaal opnieuw kunnen beginnen."

Kim fluisterde iets wat ik niet verstond.

"Wat?"

"Ik zei dat ze toch niet terug zullen komen, wat dacht je?"

Ik bekeek haar. "Wie? De Zwitsers?"

Ze gromde van ongeduld. "Nee. Rhodes en die ploeg. Waarom zouden ze?"

Ik kon niet zo meteen een antwoord vinden. Ik had het er helemaal koud van gekregen, want plotseling zag ik in dat ze gelijk had. Toen ik mijn stembanden onder controle had, zei ik: "Je hebt gelijk. Waarom zouden ze? Dit moedertje spelen over al deze zwakkelingen is niets voor hen, met al die kinderen en zieken en zo. Ik zal het woord nemen!"

"Nee!" Haar vingers grepen mijn elleboog en ze keek schichtig om zich heen. "Laat hen gaan. Ik kan me vergissen en we kunnen hen hoe dan ook toch niet tegenhouden. Als ze besloten hebben te gaan, dan zullen ze gaan en ze zullen waarschijnlijk iedereen doden die hen in de weg staat."

Ze had gelijk, natuurlijk. Ze vertrokken: Rhodes, het kruim van zijn guerrillabende en enkele soldaten, en ze kwamen nooit terug. De rest van ons bleef. We scharrelden naar eetbare wortels, we begroeven onze doden en we vermagerden. Weken gingen voorbij. Het weer werd kouder en Branwell trachtte ons bij elkaar te houden. Hij deed echt zijn best. "Ze zullen komen," hield hij vol. "Ze moesten ver gaan, te voet, maar ze zullen terugkomen, je zal wel zien."

De wortels die we knaagden, waren waarschijnlijk besmet. Ze waren alleszins hard en bitter. Ons tandvlees bloedde en we kregen er vlijmende buikpijn van. De school ging dicht. De kinderen lummelden rond, met hun handen voor hun buik, en kermden. Ik betrapte mezelf erop dat ik Ben de hele tijd gadesloeg, met zijn opgeblazen buik en zijn spillebeentjes. Maureen lag te weeklagen in haar barak. Mike zat de hele dag naast haar bed met zijn handen lusteloos tussen zijn knieën naar de grond te staren. Ook Kim bracht daar heel wat tijd door. Renton kwam af en toe een kijkje nemen en dan mompelde hij wat, maar het enige wat hij nog over had om mensen mee te behandelen, waren woorden.

Het moet een paar maanden hebben geduurd voor Branwell uiteindelijk alle hoop op Rhodes' terugkeer liet varen. Hij verzamelde ons in de kapel en deelde het ons mee. Iedereen kon merken dat hij ziek was. We waren nog maar met een honderdtal mensen over en we vonden gemakkelijk een plaatsje in de zaal. De oude man zei dat Rhodes en zijn ploeg een ongeval moest zijn overkomen, maar je kon raden dat hij het niet meende. Hij bezwoer ons de moed niet te laten zakken en te wachten op de Zwitsers, maar hij klonk niet erg overtuigend.

Een nijdige wind joeg buien vroege sneeuw over de nederzetting. Er begonnen mensen weg te lopen. Ik vermoed dat ze dachten meer kans te hebben met zijn tweeën of drieën, met minder monden om te voeden en meer terrein om af te stropen. Wie bleef, deed dat uit angst of omwille van de oude Branwell. Kim bleef omwille van Maureen en ik kon niet weg van Kim.

De baby kwam op een namiddag in december. Hij had geen mond en stierf haast onmiddellijk na zijn geboorte. Renton haastte zich recht van Maureens bed naar dat van Branwell. De oude man stierf diezelfde nacht. Ik ging naar de stal om het te vertellen aan zijn ezel en omdat ik wist dat Kim er zou zijn.

De ezel, een versleten grauwe zak vol benen, stond te kauwen op niets, terwijl Kim zijn flank nat maakte met haar tranen. Ik ging op een eindje van de twee zitten. Ik zei geen woord, maar ik denk dat de ezel het begreep. Ik zat daar met mijn rug tegen de muur, te luisteren.

In het begin wist ik niet waar ik naar luisterde. Toen besefte ik dat ik aan het hopen was dat de helikopter zou komen, zoals de vorige keer toen we hier waren. Ik maakte een licht, onvrijwillig geluid en Kim draaide haar hoofd om.

"Danny?" Haar stem was broos en breekbaar.

"Ja. Is alles goed met je, liefje?" Een domme vraag zonder inhoud. Ze wendde zich af en liet haar voorhoofd rusten tegen de flank van de ezel.

"We gaan weg, Kim. Ben en ik."

"Ja."

"Ik veronderstel dat jij blijft. Bij Maureen."

"Ik weet het niet. Het heeft toch echt geen belang waar we zijn, hé? Op de duur zullen we allemaal sterven, om het even waar we zijn."

"Iedereen sterft op de duur."

"Je weet wat ik wil zeggen."

Ik kamde met mijn vingers door mijn haar. Het was stijf en kleefde aan elkaar. We waren allemaal al weken geleden opgehouden ons te verzorgen. Het woord pre-Neanderthal schoot door mijn hoofd, gevolgd door een overrompelend gevoel van droefheid. Na een poosje zei ik: "Ik weet ergens een plaats. Holy Island. Er leidt een dam naartoe, die bij hoog tij onderloopt, en er staat een kasteel. Het is ver weg van om het even wat. Daar zouden we het goed kunnen hebben."

"Zouden we kunnen," zei ze dof, "maar ik betwijfel het. En het is in ieder geval heel ver van hier."

Ik haalde de schouders op in het donker. "Als Ben het kan halen, kan jij het ook."

Ze snoof: "Hoe weet jij dat Ben het kan halen, hé?"

"Weet ik niet, maar hier blijf ik niet. Niet nu."

"Het is winter, Danny. Je zal..."

"Sterven? Liever sterven terwijl ik iets doe, dan er hier op te zitten wachten. Wil je met ons meekomen, Kim?"

"Ik... Ik weet het niet. Ik weet niet of ik nog verder kan, Danny. Ik weet zelfs niet of ik nog wel wil."

Ik zei een tijdje niets. Kim streelde de ezel over de knobbels van zijn ruggengraat. Ik zat naar haar te kijken en dacht aan iets wat Branwell al lang geleden had gezegd. *Dat hebben ze niet kapot gekregen, hé? Met hun bommen en met hun honger en met hun kou. Dat hebben ze niet kapot gekregen.*

Hij had liefde bedoeld. Mijn liefde voor Kim. En hij had gelijk gehad. Die hadden ze niet kapot gekregen. Dat konden ze niet. Ik stond op en ging naar haar toe.

"Kim," zei ik, "ik hou van je. Dat weet je, en de oude Branwell wist het ook." Ik vertelde haar wat hij had gezegd, die dag toen vader stierf en ik ook het liefst was gestorven. Ik vertelde haar dat ik het waarschijnlijk al lang zou hebben opgegeven als zij er niet was geweest. "Ik kan hier niet blijven," snikte ik, "maar zonder jou wil ik niet gaan. Kom mee, Kim. Laat me proberen een plaats voor ons te maken, ergens."

Ze was een poosje stil en toen knikte ze. "Goed, Danny," fluisterde ze. "We zullen het nog een keer proberen, voor Ben en de oude man."

Die nacht trokken we eruit, Ben, Kim en ik. Ben reed op de rug van de ezel en klemde zich half in slaap vast aan het bundeltje reservekleren. We gingen weg zonder vaarwel te zeggen, want je kan niet gewoon vaarwel zeggen. Je moet ook nog andere dingen zeggen en er viel niets anders te zeggen. Tegen de morgen zaten we in de glooiingen van de heuvels, op weg naar het noorden.

39

"Proef een sneetje van onze botercake!" stond op het haast verbleekte bord voor het venster van het koffiehuis. Mijn maag smachtte ernaar. We waren vijf dagen onderweg en dit was Osmotherly. Hier was geen schade, geen bomschade, bedoel ik. Overal was men aan het plunderen geweest, want alle deuren waren ingetrapt en de meeste ruiten ingeslagen, maar niemand zou een bom verspillen aan Osmotherly.

Ik keek over de nek van de ezel naar Kim. "Waarom proeven we niet zo'n sneetje van hun botercake?" vroeg ik.

"Zwijg, Danny." Haar voeten deden pijn, het was verduiveld koud en er hing weer een natte sneeuwbui in de lucht.

Ben, hoog op de rug van het dier, zei: "Kunnen we hier niet blijven, Danny? Ik ben moe en mijn benen worden gek." Ik lachte. "Worden jouw benen gek? Wat dan met die van mij en die van Kim? Wij hebben de hele dag gelopen."

Het was waarschijnlijk een uur of drie in de namiddag. We hadden de vorige nacht doorgebracht op een boerenhof en we hadden er een stapel bikkelharde koolrapen in een hoek gevonden. We hadden er een paar afgeknabbeld als ontbijt. Het waren net deurknoppen. De ezel had er zo'n twintigtal naar binnen gespeeld en zijn flanken hadden gespannen gestaan als een gasballon. Het was het eerste behoorlijke maal dat het arme schepsel in maanden had gehad. Ik grinnikte naar Ben.

"Ja, ik denk wel dat we hier een nachtje kunnen doorbrengen, jochie. Het ziet er niet naar uit dat er iemand in de buurt is." We waren nu al halverwege de hoofdstraat gekomen, Kim en ik met onze knuppels vast in de hand, turend in deuren en gangetjes. Niets bewoog, zelfs geen kat. Ik had wel trek in een lekker stukje kat. Ik knikte naar een huis waarvan de ruiten nog heel waren.

"We zullen daarbinnen gaan slapen. Wacht een minuutje." Ik liet hen achter in het midden van de weg en liep op het huis af, mijn knuppel in de aanslag. Geen geur van bewoning drong door in mijn neusgaten, alleen de klamme, weeë stank van verrotting. Ik maakte vlug een ronde langs de kamers. Er was een kapot bankstel, een roestig gasfornuis en wat rommel op de vloer, gebroken kopjes en van die dingen. Twee kamers boven hadden bedden, maar de matrassen en het beddegoed waren door plunderaars meegenomen. Ik riep Kim binnen.

"Laad de ezel af," zei ik. "En stop Ben in bed. Ik ga terug naar dat koffiehuis om te zien of er iets te eten is." Ik begaf me weer op weg door de lege straat, mijn hoofd gebogen tegen de sneeuwregen in.

Het was een vrij primitief koffiehuis geweest, een rustplaats voor trekkers, met een juke-box en goedkope plastic meubeltjes. De juke-box stond in een hoek te roesten en iemand had alle meubels stukgeslagen. De toonbank had geen glas meer, de thee- en koffiemachines waren weggepikt. Hier had ik niet verwacht iets te vinden. Het was de kelder die me interesseerde. Ik vond de trap, viste een batterijlamp uit mijn zak en ging naar beneden.

Er was maar één kelder, gewit, met rijen rekken tegen de wanden. Ik scheen om me heen met mijn zaklamp. De rekken waren leeg, behalve het bovenste. In een hoek stond de gasmeter, waarnaar ik zocht. Ik ging erheen, rekte me en stak mijn hand erachter. Zoals ik had gehoopt, zat er in de ruimte tussen de meter en de muur nog iets anders dan spinnenwebben. Op de tippen van mijn tenen trok ik er twee roestige blikken uit en een vochtig pak, dat haast uit elkaar viel. Als je voorraad opstapelt op een plank naast een meter, moet er af en toe wel wat achter vallen. Thuis gebeurde dat altijd.

In het pakje hadden corn flakes gezeten, maar nu bevatte het alleen nog maar een klomp schimmel. Ik liet het op de vloer vallen en bestudeerde de blikken in het licht van mijn lamp. De etiketten waren vochtig en zwart gevlekt, maar er bleef nog genoeg van het drukwerk over om te zien dat er in het ene soep zat en in het andere spaghetti. Ik grinnikte en ik was al terug bij de trap, toen ik iets hoorde. Ik stopte, stokstijf.

Het was een vertrouwd geluid, een geluid dat me ooit met geestdrift had vervuld en waarvan ik had gedacht het nooit meer te horen: het grommen van zware motoren.

Er waren er meerdere. Ik kon niet zeggen hoeveel, maar ze kwamen snel dichterbij. Het gebrul van de machines zwol aan tot ik dacht dat ik de trillingen kon voelen. Ik doofde de lantaarn en stond naar het plafond te staren.

Het geraas bereikte een hoogtepunt en begon toen te verzwakken. Ik zoog wat lucht naar binnen. Wie ze ook mochten zijn, ze waren rechtdoor gereden. Ik kwam in beweging en net toen ik een stap deed, veranderde het verflauwende geluid. Er klonk wat gepuf, een reeks van knallen snel achter elkaar en er werd gas gegeven. De motoren waren terug aan het komen, traag nu. Ze hadden iets gezien.

Ik duwde de blikken in mijn zakken, greep mijn knuppel vast en stond halverwege de trap toen een paar benen in zwart leder boven- aan verschenen.

"Halt daar!" Ik stopte en ik voelde mezelf koud worden. De benen had ik niet herkend, maar wel de stem. Het was Rhodes.

Een tweede man dook op met een zaklamp die hij in mijn gezicht liet schijnen. Ik rukte mijn hoofd opzij en kneep mijn ogen dicht. Rhodes zei: "Wel, wel, wel, als dat onze kleine Lodge niet is! Wat loop jij hier rond te neuzen op het land, hé? Toen ik dat schurftige beest daarboven zag, dacht ik dat het de oude Branwell was, die me kwam wijzen op het verkeerde van mijn daden: 'Kom jij eens eventjes op het matje bij de schijnheilige, ouwe slijmbal!'"

"Praat niet zo over hem!" Als hij geen wapen had gehad, was ik hem aangevlogen. Ik was bang, maar ik was net zo goed razend kwaad. "Je bent het nog niet waard zijn naam uit te spreken. Waarom verdomme moet ik uitgerekend jou tegen het lijf lopen?" Ik wist dat het met me gedaan was, vermoed ik. Ik hoopte alleen dat hij zou denken dat er niemand bij me was.

Hij grijnsde. "Dat bewijst het oude gezegde, nietwaar, Lodge? Alle wegen leiden naar Rhodes." Hij schaterde het uit en gaf de man met de lantaarn een por.

Ik dwong mezelf bedaard in de lichtstraal te staren, in de hoop dat Kim en Ben zouden ontkomen. Rhodes' gelach brak af, alsof iemand een schakelaar had omgedraaid.

"In orde, Lodge," snauwde hij. "Het was misschien niet de grappigste mop van de wereld. Je had er toch het beste van moeten maken, want het is de laatste die je ooit zult horen. Laat die knuppel vallen en ga achteruit terug naar beneden. Langzaam."

Ik was vergeten dat ik de knuppel vasthad. Ik opende mijn vingers en hij kletterde de trappen af. Het kon me niet schelen, als Kim maar weg kon met Ben. Als je dood bent, voel je geen honger en heb je het niet koud. Ik ging achteruit naar beneden, zo traag als ik kon. Elke seconde was kostbaar. Rhodes en de andere kerel kwamen naar beneden. De afstand tussen ons hielden ze even groot.

"Goed." Ik was op de klamme tegels gekomen. "Aan de andere kant tegen de muur. Draai je zakken binnenstebuiten." Hij had de bobbels gezien. Ik trok de blikken en mijn lantaarn boven, en zijn maat kwam ze bij me halen. Ik leunde met mijn rug tegen de muur. Een paar schilfers witsel dwarrelden neer en belandden op mijn jas. Mijn haar schuurde tegen de onderkant van een legplank. Ik voelde me moe.

"Vaarwel dan, Lodge." Ik sloot de ogen.

Het machinepistool maakte een verschrikkelijk lawaai in de besloten ruimte. Ze zeggen dat je de kogel die je doodt niet hoort, maar daar heb ik geen weet van. Al wat ik weet, is dat er dat helse gehamer was en ik verstijfde zowat en niets raakte me en ik deed mijn ogen open en Kim stond op de trappen met een machinepistool, en Rhodes en zijn trawant lagen als slappe voddenpoppen op de grond.

Voor ik de kans kreeg iets te zeggen, startte buiten een motor. Er klonken een paar schoten en toen hoorden we de motor wegrijden.

Kim vloekte en liep de trappen op. Ik grabbelde de blikken bij elkaar en het wapen van Rhodes, en volgde haar.

Ik vond haar boven terwijl ze met haar vuisten in de heupen de weg aftuurde. Dichtbij stonden twee motoren, de benzine klokte eruit op de grond. De ezel was een paar meter verder aan het grazen, ongevoelig voor de jagende sneeuwregen.

"Wat is er gebeurd?" vroeg ik. Kim hield op met de verdwijnende machine na te staren en gaf een van de andere die er nog stonden een trap. "Ik hoorde ze komen," zei ze. "Ik was net Ben aan het onderstoppen. Ik liep naar buiten en ze waren terug naar het koffiehuis aan het rijden, met zijn drieën. Ze hadden de ezel gezien, denk ik. Ik vergat hem vast te binden en hij was je gevolgd. Ik zag twee van hen naar binnen gaan. De derde lieten ze boven de wacht houden bij de motoren. Ze hadden me niet gezien. Ik nam mijn knuppel, sloop naderbij en gaf hem een dreun op zijn kop. Ik dacht dat ik hem had gedood. Ik nam zijn machinepistool. Hij moet zijn bijgekomen, het schieten hebben gehoord en ervandoor zijn gegaan, maar eerst schoot hij nog wat gaten in deze krengen, zodat we hem niet konden achtervolgen. Ik had hem harder moeten raken."

"Waarom?" Ik kon niet helder denken. "Dat geeft toch niet, Kim? Hij is weg."

"Ja, maar hij zal terugkomen. Er waren vijfentwintig man in de ploeg van Rhodes en ik wed dat ze allemaal een motor hebben. We moeten hier weg, Danny! Nu!"

Er bestaat zoiets als een instinct tot zelfbehoud dat doorwerkt als het je al lang geen zier meer kan schelen. Toen ik Kim terug naar het huis volgde, wou een deel van mij dat ze me had achtergelaten om te sterven. Toen ik enige ogenblikken later Ben wakker schudde en ik de plukken haar op zijn deken zag, wist ik dat een halve reden voor mijn bestaan aan het sterven was.

40

We verlieten het dorp en gingen de heuvel op. We vermeden de weg. Op een bepaald ogenblik, tegen de dageraad aan, zag Kim een huis. Het lag verborgen door een plooi in de heuvels. Ze overtuigde zich ervan dat het leeg was en we trokken erin.

Dat was weken geleden. Ik heb er geen benul van of de motoren zijn teruggekomen. Er ligt nu zo'n dikke halve meter sneeuw en dus zal de weg wel geblokkeerd zijn. Ben ligt daarbuiten onder de sneeuw, maar hij voelt de kou niet eens.

Hij had een geleidelijke stralingsdosis. Er was niets wat we konden doen. De eerste paar dagen hadden we zelfs geen vuur durven aanmaken, want een rokende schoorsteen kon de motoren op ons spoor brengen. We pakten hem warm in en zaten te kijken hoe het leven uit hem wegvloeide. Hij was helemaal niet lastig, en op een nacht was hij weg.

We begroeven hem in de tuin. Het regende. We hadden hem in zakkengoed gewikkeld, maar daar hadden we net niet genoeg van en we konden een stuk van zijn kale knikker zien glinsteren in de regen. Ik weet dat je wordt verondersteld bij een graf een paar woorden te spreken, maar ik wist niet wat, dus zei ik maar wat Branwell ooit had gezegd: "Hij die zijn broeder in de aarde plaatst, is overal." Alleen dat. Het is moeilijk praten als je huilt.

In het huis lag dit boek. Een register, met niets erin. Ik begon alles erin op te schrijven wat er was gebeurd na de kernbommen. Ik dacht dat misschien ooit, op een dag, lang na dit ogenblik, iemand het zou vinden en lezen hoe het was geweest. Misschien zou het de mensen na ons tegenhouden om het nog eens te doen. Ik ben er nu mee klaar en zal het achterlaten, als Kim en ik verder trekken.

Wat ik heb proberen te zeggen, is dat het verschrikkelijk was. Tè verschrikkelijk om het te kunnen beschrijven, hoewel ik mijn best heb gedaan. Nu hou ik er maar mee op. Ik draag het op aan kleine Ben, mijn broeder. In de aarde.

Swindells, Robert
Als de bom barst

Tweede, volledig hernieuwde uitgave

Leuven, Davidsfonds/Infodok, 1996
170 p.; 22 cm
© 1987 voor de Nederlandse editie: Davidsfonds/Infodok, Leuven
© 1984: Robert Swindells
Oorspronkelijke uitgever: Oxford University Press
Oorspronkelijke titel: Brother in the Land
Vertaling: Luc Devroye
Gedrukt bij Reflex Blue Printing, Antwerpen
Omslagillustratie: Marijke Meersman
Omslagontwerp: Gregie de Maeyer
D/1996/2952/24
ISBN 90 6565 740 1
Doelgroep: jeugd
NUGI 222